**Universo neoliberal
em desencanto**

José Carlos de Assis
Francisco Antonio Doria

Universo neoliberal em desencanto

CIVILIZAÇÃO BRASILEIRA
Rio de Janeiro
2011

Copyright © José Carlos de Assis e Francisco Antonio Doria, 2011

PROJETO GRÁFICO DE MIOLO
Evelyn Grumach e João de Souza Leite

DIAGRAMAÇÃO DE MIOLO
Editoriarte

CIP-BRASIL. CATALOGAÇÃO-NA-FONTE
SINDICATO NACIONAL DOS EDITORES DE LIVROS, RJ

A866u
Assis, J. Carlos de (José Carlos de)
Universo neoliberal em desencanto / J. C. de Assis, Francisco Antonio Doria. — Rio de Janeiro: Civilização Brasileira, 2011.
224p

ISBN 978-85-200-1060-0

1. Neoliberalismo. 2. Política econômica. 3. Economia matemática. I. Dória, Francisco Antonio, 1945-. II. Título.

11-6444
CDD: 338.9
CDU: 338.1

EDITORA AFILIADA

Todos os direitos reservados. Proibida a reprodução, armazenamento ou transmissão de partes deste livro, através de quaisquer meios, sem prévia autorização por escrito.

Texto revisado segundo o novo Acordo Ortográfico da Língua Portuguesa.

Direitos desta edição adquiridos pela
EDITORA CIVILIZAÇÃO BRASILEIRA
Um selo da
EDITORA JOSÉ OLYMPIO LTDA.
Rua Argentina 171 — 20921-380 — Rio de Janeiro, RJ — Tel.: 2585-2000

Seja um leitor preferencial Record.
Cadastre-se e receba informações sobre nossos lançamentos e nossas promoções.

Atendimento e venda direta ao leitor:
mdireto@record.com.br ou (21) 2585-2002

Impresso no Brasil
2011

Sumário

AGRADECIMENTOS E REFERÊNCIAS 7

PREFÁCIOS DOS AUTORES
    A Economia como Fetiche 9
    Fetiche contra o Feiticeiro 13

PARTE I — POR TRÁS DO VÉU MONETÁRIO 17
    O último reduto da luta de classes depois da Guerra Fria 19

PARTE II — O FETICHISMO DAS MATEMÁTICAS 69
    Onde se conta como a crise da economia neoliberal começou muito, muito antes de 2008, numa grande crise teórica, elaborada e anunciada desde 1930 nos cafés de Viena por um jovem matemático de óculos e aros redondos e espessos, que ainda na mesma década viria a se casar com uma mulher sete anos mais velha que conhecera num dos cabarés locais 71
    1. Gödel e Turing 81
    2. Preços de equilíbrio existem... 119
    3. ... mas não podemos calculá-los 141
    4. Para que poetas? 155

PARTE III — METAS E MITOS 157

PARTE IV — O FIM E O NOVO COMEÇO 173
    Uma nova ordem emerge do colapso da Idade Moderna 175

AGRADECIMENTOS E REFERÊNCIAS

Embora não tenham responsabilidade direta sobre os conceitos por mim emitidos neste livro, muito devo, na sua formulação genérica, à economista política (oriunda da matemática!) Maria da Conceição Tavares, minha professora permanente, assim como ao também notável economista político e professor Luiz Gonzaga Belluzzo, amigo e parceiro intelectual de longa data.

JCA

Agradeço a Sofia Débora Levy a revisão, correção e, sobretudo, crítica a seu texto. Feita em boa parte, também, em mesas de bar de Copacabana. E ainda às instituições que o têm apoiado: o Programa de Engenharia de Produção da COPPE-UFRJ, o programa interdepartamental de filosofia da ciência HCTE-UFRJ e a Academia Brasileira de Filosofia.

Ao CNPQ o apoio através de bolsa de pesquisa.

Usei, como uma das fontes para meus textos, três de meus livros recentes:

- F.A. Doria e P. Doria, *Comunicação: dos fundamentos à internet*, Revan (1999).
- C.A.N. Cosenza e F.A. Doria (orgs.), *Crise na economia*, Revan (2009).
- G.J. Chaitin, N.C.A. da Costa e F.A. Doria, *Gödel's Way: Exploits into an Undecidable World*, a sair pela Taylor & Francis (2011).

FAD

Prefácios dos autores

A ECONOMIA COMO FETICHE

Este livro surgiu da sugestão de Francisco Antonio Doria para que, com apoio simultâneo da crítica da economia política e das matemáticas, empreendêssemos a singela tarefa de demolir as bases em que se tem apoiado a doutrina neoliberal no mundo contemporâneo. Concordei entusiasmado, por duas razões. Primeiro, porque me pareceu uma tarefa estimulante de profilaxia intelectual em face da sobrevivência ideológica do neoliberalismo ao colapso de seus fundamentos práticos determinado pela crise financeira iniciada em 2008. Segundo, porque não conheço suficiente matemática superior para fazer o serviço completo, sozinho, e Doria conhece.

Na realidade, conhece profundamente. É um competente, com certeza bastante competente, matemático brasileiro, com fama mundial em sua área, ao lado de seu amigo e parceiro Newton da Costa. De minha parte, me filio à corrente dos grandes economistas políticos dos séculos XIX e XX, Adam Smith, David Ricardo, Karl Marx, John Maynard Keynes, John Kenneth Galbraith. A característica de todos eles é que foram pouco além da aritmética básica para construir os alicerces da ciência econômica moderna. Nunca precisaram de construir sofisticados modelos econômicos. Bastava-lhes a dialética discursiva. Um deles convenceu Lênin, outro ajudou a convencer Roosevelt; um ajudou a mudar a cara da primeira metade do século XX, outro, da segunda!

Desde o século XIX, a economia política tomou ares de superstição. Foi por isso que Marx percebeu que não seria possível entender o curso da história sem uma prévia e demolidora crítica da economia política. Naturalmente, a crítica se referia especificamente à economia política burguesa, de caráter classista, abrindo espaço para a proposição de outra economia de caráter socialista ou comunista. Atualmente, sabemos que o método de Marx é rigoroso e geralmente coerente, embora suas conclusões sejam falsas. O conflito de classes não levaria à eliminação das classes e ao comunismo, como imaginou; mas a dialética, seu método, especifica que a marcha da história é uma sucessão progressiva de conflitos e sínteses no mundo real, refletida no mundo das ideias, algo tão certo quanto o mundo que se desenrola diante de nós.

A superstição econômica prevalecente hoje tem duas âncoras. Uma, altamente sofisticada e abstrata: os modelos matemáticos que ninguém entende, mas nos quais a grande maioria acredita como dogmas. Outra, a tradução popular desses modelos em enunciados de senso comum. Por exemplo: o Estado deve se comportar como uma dona de casa responsável, que não gasta mais do que ganha. As pessoas comuns em geral não têm senso crítico para questionar a dupla falsidade desse enunciado: primeiro, uma dona de casa que compra a crédito é tão responsável quanto qualquer outra dona de casa responsável;

segundo, todos os Estados, em todos os tempos, sempre em algum momento recorreram ao crédito.

Dou esse exemplo para acentuar que o que está em jogo hoje, na dialética econômica mundial, e sobretudo depois do início da crise, é uma luta feroz em torno da natureza do Estado. Não falo sobre privatização de empresas públicas, que é um apêndice secundário do processo. Falo de orçamento: a formação das receitas e a distribuição das despesas estatais. Isso é muito diferente do ambiente em que escreveram Marx e os primeiros clássicos econômicos. Então, tratava-se da luta de classes entre patrões (burgueses) e empregados (trabalhadores). O orçamento público era mínimo, quase todo ele absorvido em defesa e segurança. Agora é uma luta de classes mais difusa, na qual a cidadania, não as representações sindicais, tem papel decisivo. É a cidadania, através do jogo parlamentar numa democracia de cidadania ampliada, que define o tamanho e a estrutura do orçamento. Mas a maioria da cidadania, quando esmagada por uma avalanche ideológica, costuma decidir contra o próprio interesse.

Na dialética da história recente, o socialismo real ou comunismo soviético pode ser conceituado como uma antítese do capitalismo liberal, enquanto a social-democracia europeia, sobretudo nórdica, pode ser interpretada como uma síntese desses dois processos, com elementos tomados de ambos. O neoliberalismo foi uma reação, uma antítese à social-democracia. Já em meados da década de 1970, os conservadores europeus não suportavam o sucesso espetacular do sistema e começaram a manipular ideologicamente as massas no sentido da demolição de direitos sociais em nome da competitividade e da eficiência econômica, ou seja, em nome da preservação e ampliação do lucro. Essa ideologia se tornou hegemônica em quase toda a Europa e é hoje a grande trava da sua recuperação econômica.

A economia matematizada foi a força ideológica ancilar desse movimento regressivo. Por aí surgiram e se afirmaram mantras como reformas do Estado social em nome da competitividade externa, livre mercado para aumentar a eficiência produtiva, liberação financeira para favorecer a alocação ótima dos recursos, banco central independente, ajuste fiscal permanente, modelo de metas de inflação, Estado mínimo etc., tudo fundamentalmente ligado a uma superstição poderosa, porque apoiada num princípio matemático que se acreditava inatacável: a tendência ao equilíbrio dos mercados competitivos. É esse teorema que, de forma original, será demolido no segundo capítulo. Mas isso não é comigo. É com Doria. A maioria não entenderá grande parte do argumento matemático, mas, como eu, ficará fascinada com o fato de que ele existe como produto de interações de inteligências agudas e, por que não, divertidas. Vão em frente e não tenham escrúpulos em saltar trechos muito complexos. Estão lá com a força misteriosa do monólito encontrado pelos astronautas de *2001: uma odisseia no espaço* no longínquo planeta por eles visitado.

JCA
Rio de Janeiro
Ano da Graça de 2011

FETICHE CONTRA O FEITICEIRO

ESTE LIVRO NASCEU NUMA MESA DE CHOPE, num bar do Flamengo. O Assis e eu costumamos nos encontrar, volta e meia, para um papo e um chope, e combinamos o livro no meio do papo e do chope. Mas na verdade o livro foi concebido bem antes, em começos de 2003, abril, creio, quando, numa sessão do Conselho de Desenvolvimento Econômico e Social, onde estava como suplente de Muniz Sodré, um dos paredros da área econômica exibiu, em prol de sua argumentação, e como *coup de grâce*, um daqueles terríveis carroções matemáticos, uma expressão horrenda tipo sopa de letrinhas, afirmando, ao exibi-la no powerpoint (tipo de apresentação que meus alunos chamam, me engana que eu gosto), com todo orgulho, "podem ver, é isto."

E olhando o monstrengo algébrico, sem outras explicações, fechou o argumento, satisfeito.

Quem estava a meu lado me olhou, cara de espanto e de pergunta. Olhei para o dito monstrengo algébrico, obsceno em sua incompreensibilidade aparente e desejada, talvez, e respondi baixinho: isso daí é uma média aritmética metida a besta, e só. Quem estava perto de mim riu e para eles o encanto se desfez. Mas, para a maior parte dos que estavam no auditório, continuou o mistério e o temor reverencial diante do inefável exibido nas matemáticas do tal carroção.

Um grande amigo, colega de colégio e hoje professor universitário aposentado, depois de ter exercido diretorias de destaque em organizações financeiras multilaterais, me deu certa vez uma lição precisa de economia. Disse: Francisco Antonio, economia é fácil. Quero vender, você quer comprar. Mas você só compra se tiver dinheiro. Logo, para começar o ciclo econômico, precisa alguém botar dinheiro na sua mão. Simples, com certeza, mas anátema para a turma neolib feroz. E sem matemáticas desnecessariamente complicadas.

Aqui exponho uma versão simplificada do teorema de Arrow-Debreu, que nos garante, nos mercados competitivos sempre há preços de equilíbrio. Daí vem a ideologia sobre as sabenças e inteligências dos mercados, deixa que o mercado resolve, deixa que o mercado calcula. Tudo dito por gente que nunca leu a crítica precisa e fundada de Karl Polányi em *The Great Transformation*: a dinâmica dos mercados econômicos é socialmente destrutiva. Que o digam os exércitos de desempregados, as disrupções sociais, a cada período recessivo.

Mas aqui faço uma crítica de outra ordem, pois digo como se pode provar que *preços de equilíbrio existem, mas não são calculáveis, em geral*. Se não são calculáveis, não podem ser fundamento normativo de política econômica. É, digamos, uma crítica interna. Conto-lhe a história desse teorema desde os resultados de Alain Lewis, dito "o outro John Nash", e de alguns mais, até o resultado de Marcelo Tsuji, Newton da Costa e deste vosso amigo que vos fala, com o enunciado acima. Faço-lhe a pré-história, Gödel, Turing, até algo de Einstein. Consequência do teorema: o mercado atinge o equilíbrio, mas como não sabemos em geral calcular-lhe os preços de equilíbrio, nunca saberemos, em geral, se de fato alcançou-se o equilíbrio. Se o mercado produziu os resultados de sua eficiência.

O mercado é um fetiche; matemática, outro fetiche. Vamos restabelecê-los no que são, o mercado, uma construção histórica, uma instituição social, com raízes bem sabidas e falível como todas as instituições sociais. Poderá eventualmente ser superado, como já deixamos para trás o feudalismo.

E a matemática? É uma forma de arte; um belo teorema tem a natureza de uma peça de câmera (como os quartetos op. 131 e 132 de Beethoven ou como a canção final de *A Canção da Terra*, de Mahler) ou tem a natureza de um poema lírico (um belo teorema é como alguma das *Elegias de Duino*, de Rilke). Sua aplicação é como o uso de um poema em textos publicitários: funciona, pode ser eficaz, até muito eficaz, mas não está aqui a essência do poema. E, muito menos, da matemática.

FAD[1]
Rio e Petrópolis
Ano da Graça de 2011

---

[1] **Uma nota.** Nos textos que assino, preferi escrever como se estivesse falando, ou quase. Assim, violo, aqui e ali, alguma regra gramatical.
Não é sempre, mas se preciso forçar a regra, forço, com certeza.
É o conflito — sem solução — entre Sixtus Beckmesser, do lado das regras formais, e Hans Sachs, na ópera *Os Mestres Cantores de Nuremberg*; Hans Sachs, claro, pela licença poética:
Der Regel Güte daraus man erwägt,
dass sie auch 'mal 'ne Ausnahm' verträgt.
Em língua compreensível,
A gente curte o bom da regra
se às vezes se permitem exceções.
Espero ter usado direitinho meu direito às exceções tipo Hans Sachs...

PARTE I Por trás do véu monetário

O ÚLTIMO REDUTO DA LUTA DE CLASSES DEPOIS DA GUERRA FRIA

*Sobre a nudez crua da verdade,
o manto diáfano da fantasia.*

EÇA DE QUEIROZ

SE O HOMEM ESTÁ PRESTES A ASSUMIR o controle de sua evolução, como quer o físico-matemático Stephen Hawking, é mais importante ainda que assuma o controle da sua própria História, equilibrando pela cooperação as forças dialéticas que a têm movido até aqui segundo o princípio da competição e da guerra. Isso, no plano objetivo, só é possível a partir do controle da economia, a qual se exprime nas relações de interesses concretos entre homens e mulheres. É sobre essas relações que se ergue todo o castelo ideológico da economia política, cuja desmistificação é ponto de partida para a construção de uma nova sociedade baseada na cooperação.

O mundo esteve próximo desse ideal em algum momento da segunda metade do século XX nos países escandinavos e do norte da Europa Ocidental: foi, durante algum tempo, o milagre da social-democracia europeia. Posteriormente esse ideal, sempre recusado pelos comunistas, foi engolido pela avalanche neoliberal. Contudo, sendo algo que esteve perto de existir, é algo que pode objetivamente brilhar como o farol do futuro. Todo esforço do homem e da mulher no sentido de compreender a si mesmos, a Natureza ou a Deus torna-se inútil se não estiver voltado para o compromisso de construção de um ambiente justo para si mesmo, seus semelhantes e as demais manifestações de vida na Terra.

Isso dá à economia uma posição de destaque no conjunto das atividades humanas conscientes, ou seja, na razão do homem. É que a condução da economia marca os limites das possibilidades materiais de homens e mulheres. Entender a economia, em termos contemporâneos, implica esclarecer o conjunto de representações mentais que dela fazem as sociedades e despi-la do caráter ideológico com que é revestida para atender a interesses específicos de grupos e classes. Trata-se de uma nova crítica da economia política, que deve trazer para a realidade contemporânea a crítica original feita dela por Marx no século XIX. As relações entre política monetária e política fiscal, definidoras dos processos de distribuição de renda (ou de mais-valia) no mundo contemporâneo, constituem, desde muito, a base sobre a qual se impôs o véu ideológico mais denso da economia política nas democracias capitalistas. Foi em função de seu mascaramento que as esquerdas políticas históricas europeias e os democratas americanos se perderam em confusão a partir dos anos

1980, ao mesmo tempo em que, desde então, a ideologia neoliberal triunfou como portadora de uma política econômica supostamente definitiva e de uma ordem mundial estável para todo o futuro previsível.

Na raiz desses desenvolvimentos encontra-se outra intrincada relação, essa entre economia e política. O conceito de luta de classes, muito caro aos marxistas, refletia em seu nascedouro um contexto histórico no qual o poder político era virtual monopólio de burguesias, exercido pela via parlamentar ou não, numa situação de cidadania restrita. Correspondia à realidade social e política nos países mais industrializados da Europa e da América do Norte no século XIX e, fiel à concepção futurística de Marx, deveria estender-se progressivamente ao mundo inteiro, segundo a fórmula por ele aplicada às colônias, *de te fabula narratur* (a história fala de ti!).

Num país onde a burguesia exerce o monopólio da cidadania, o Estado constitui uma efetiva vanguarda política para lhe assegurar o poder de classe, conforme a denúncia do Manifesto Comunista de 1848. Nesse sentido, a relação social principal entre dominantes e dominados é a relação nas fábricas e nas fazendas, e não a relação política em torno do comando do Estado — mais especificamente, do orçamento público. As figuras centrais são o burguês e o trabalhador. Como seus interesses diretos, explícitos nas relações de trabalho, são contraditórios — para o burguês a remuneração do trabalhador é custo, para o próprio trabalhador é renda —, a luta de classes é basicamente a luta por salários, fora do terreno político.

Contudo, o contexto político histórico sofreu óbvias e profundas alterações ao longo do século XX. A principal delas foi a aquisição de direitos de cidadania fundantes por parcelas crescentes da população, primeiro os próprios trabalhadores pobres, ou sem suficiente patrimônio, depois as mulheres, depois imigrantes, depois militares, depois analfabetos. Não foi um processo linear. Basta lembrar que nos Estados Unidos, a mais antiga democracia de massas do mundo, os negros só conquistaram cidadania plena depois dos movimentos civis dos anos 1960 do século XX! Na Europa, a relação de medo e admiração em relação à revolução soviética não só reforçou a marcha de ampliação da cidadania política, por um lado, como fez efetivamente dessa um instrumento de aquisição de amplos direitos sociais, por outro.

Não é minha intenção aqui recuperar o circuito histórico pelo qual a burguesia se viu obrigada a ceder poder político a crescentes frações do povo, enquanto, no polo oposto, os grupos sociais liderados inicialmente pelos trabalhadores organizados em sindicatos (Inglaterra sobretudo) conquistaram gradualmente seu status de cidadania ampliada. Esse processo, diferenciado por país, resultou de movimentos dialéticos a partir de conflitos internos na própria burguesia, quando algumas de suas facções viram na incorporação de parte das massas externas uma oportunidade de prevalecer sobre facções adversárias, concomitantemente com movimentos de massa autônomos, animados pela determinação da busca da conquista direta de direitos cidadãos.

Estou chamando de cidadania fundante o direito originário de um pacto político, em geral uma constituição escrita, que reconhece em seu titular o direito de criar outros direitos políticos e, principalmente, os sociais. Na medida em que conquista direitos fundantes, expressão da cidadania ampliada, a classe não proprietária passa a exercer parcelas crescentes do poder político, deslocando ao menos parcialmente o anterior poder dominante da burguesia. Isso constituiu o surgimento de uma segunda instância da luta social, ao lado da luta de classes clássica, na medida em que a renda nacional já não é disputada apenas na relação fabril, mas também na luta política mais ampla por direitos sociais, que passam a constituir renda indireta do trabalhador, como saúde, educação e previdência.

Os marxistas ortodoxos rejeitaram a evolução social pela via parlamentar. Os mais notáveis formuladores alemães dessa via, Kautsky e Bernstein, foram, logo no início do século XX, repelidos pela corrente oficial do marxismo como renegados e reformistas. A propósito, nos meios de esquerda a palavra reformista adquiriu desde então uma conotação pejorativa que persistiu por décadas, contraposta ao conceito de um verdadeiro "revolucionário". A revolução soviética de 1917 teve efeito contraditório nesse processo: em termos ideológicos, reforçou o prestígio e a aura romântica dos revolucionários; em termos práticos, serviu como espantalho contra a direita para os reformistas sociais, que, não sendo comunistas, lutavam por uma sociedade mais justa, de caráter socialista não revolucionário.

A economia política da nova luta de classes

Até a Grande Depressão dos anos 1930, os efeitos da cidadania ampliada no plano social se revelaram limitados, exceto nos pequenos países do norte da Europa, notadamente a Suécia — fundadora efetiva da social-democracia nos anos 1920, caso não se considere o programa previdenciário anterior de Bismarck, no século XIX, certamente social, porém não democrata. Os orçamentos públicos, em torno de 10% ou menos do PIB, estavam dedicados principalmente a gastos de defesa e de segurança e apenas marginalmente a objetivos sociais. Por isso, o que hoje chamamos de política fiscal era pouco relevante em termos de luta pela distribuição da renda nacional. O que contava nos países industrialmente mais avançados, e mais ainda entre os países pobres, eram as relações sociais nas empresas, isto é, a luta pelos salários reais, conforme a expressão imediata da luta de classes clássica.

Isso mudou radicalmente nos anos 1930, a partir da depressão e do New Deal nos Estados Unidos — e do Novo Plano de Hitler na Alemanha. Nos Estados Unidos, no contexto anterior de domínio do liberalismo econômico — repressão policial de sindicatos, ausência de salário mínimo, tolerância com trabalho infantil em minas etc. —, enquanto a superexploração do trabalhador nas empresas (não fordistas) era uma regra generalizada, a política econômica era atributo principalmente do Fed, banco central do país, árbitro relativamente autônomo da política monetária. Contudo, o Fed trazia de sua criação original, em 1913, um atributo não ortodoxo, que continha, surpreendentemente, elementos "democráticos". Também o Banco Central alemão, sob o comando de Hjalmar Schacht, criaria peculiares instrumentos não ortodoxos (títulos Mefo) para atender ao programa de investimentos (inclusive militares) de Hitler, com grande sucesso na frente da recuperação econômica e do emprego.

Poucos sabem disso, mas, nos Estados Unidos, a criação de um banco central emissor, se por um lado atendeu aos interesses da grande banca privada de Nova York, assustada pelo pânico bancário de 1907, por outro ecoou as demandas de pequenos e médios fazendeiros e empresários do centro-oeste norte-americano. Na virada do século anterior, esses se mobilizaram contra a rigidez monetária implicada no sistema monetário de bimetalismo em vigor. Eram chamados pelos banqueiros "ortodoxos" nova-iorquinos de "populistas". Chegaram a conquistar uma parcela não inexpressiva da opinião pública e só se desmobilizaram quando a descoberta de grandes minas de ouro na Califórnia tornou desnecessária, por um momento, uma política monetária que se ancorasse na flexibilidade do papel-moeda.

A expressão "populista", em sentido pejorativo, é aplicada ainda hoje aos que propõem uma política monetária expansiva a fim de atender à demanda de meio circulante numa economia em crescimento. Em sentido literal, era uma expressão essencialmente justa, porque, num país de milhões de pequenos proprietários, como nos Estados Unidos, atendia de fato ao interesse da maioria do povo. O Fed nasceu parcialmente populista, pois entre seus objetivos figurava explicitamente o exercício de uma política monetária flexível, isto é, capaz de responder às necessidades de crescimento da economia. Veremos que, sob orientação democrata, ele se tornaria ainda mais "populista" ao longo do tempo. Em contraposição, um banco central conservador, como o inglês, baseado no padrão-ouro, amarrava a expansão ou contração monetária ao saldo do balanço de pagamentos: superávit implicava entrada de ouro no Banco da Inglaterra e expansão do crédito, déficit implicava saída de ouro do país e contração monetária. A restauração do equilíbrio no balanço de pagamentos era assegurada pela administração da taxa de juros, que movia para dentro ou para fora o fluxo de ouro na conta capital e estimulava a exportação ou importação de mercadorias ou serviços. Os ricos, naturalmente, ganhavam sempre!

É que já nesse estágio da política monetária é possível perceber seu caráter redistributivo. Diferentemente da política fiscal, que é votada nos parlamentos, a política monetária é atributo de um corpo altamente especializado de banqueiros e tecnocratas, seguindo regras em geral totalmente incompreendidas ou ignoradas pela maioria da opinião pública. No tempo em que o Estado detinha, como anteriormente o rei, o poder emissor, o poder de compra vinculado à emissão monetária primária era detido pelo próprio Estado, que escolhia em que o aplicar, talvez até no interesse público. A isso se chamou tradicionalmente "receita de senhoriagem", o que o Tesouro dos Estados Unidos ainda mantém, limitado, porém, à moeda divisionária. Quando o poder emissor passa à mão do banco central, a "receita de senhoriagem" ou é partilhada com a banca privada ou é totalmente apreendida por ela.

Na realidade, a política fiscal escolhe ganhadores mediante o voto do Parlamento, podendo favorecer diretamente os mais necessitados; ao longo do tempo, nos países civilizados, ela vai representar mais de 30% ou até 40% do PIB. Já a política monetária se efetiva nos bastidores da economia mediante empréstimos do banco central à banca privada, por taxas de juros inferiores às que essa mesma banca cobra do sistema produtivo e das famílias, sendo tais empréstimos repassados à economia real por taxas de juros maiores. Note-se aqui uma distinção fundamental: a política fiscal trata de recolher tributos e redistribuí-los segundo critérios políticos. Já a política monetária é uma relação entre proprietários: os depositantes dos bancos são donos do dinheiro e os tomadores de empréstimos têm de ter garantias, ou seja, renda ou propriedade, para ter acesso a eles. Assim, numa situação de escassez de crédito, o domínio sobre os fluxos monetários constitui um privilégio, só acessível aos que já detêm propriedade: a banca não empresta a quem não lhe oferece garantias, e ela própria só se apresenta ao banco central para tomar o dinheiro que reemprestará aos demais ramos da economia se tem suficiente capital e reservas.

Na condição de reserva de valor, a moeda é propriedade na forma líquida. Como o valor da moeda flutua em relação a mercadorias e serviços que compra, os proprietários de moeda exercerão todo seu peso político para fazer com que o valor real dela seja preservado a qualquer custo ou que aumente, inclusive fora da órbita produtiva. Isso estabelece uma contradição de interesses entre os que têm moeda e os que precisam de novos fluxos de moeda para fazer a economia crescer: se toda a riqueza no mundo fosse em terra, os donos tradicionais de terra veriam como agressão a seus direitos de propriedade a criação pelo Estado, virtualmente do nada, de novas terras com qualidades idênticas às suas a serem destinadas a reforma agrária! No passado, o peso de outras formas de propriedade em relação ao da riqueza líquida inclinava as políticas monetárias em favor do setor produtivo. Na economia contemporânea, o volume de riqueza líquida em mãos dos muito ricos — pessoas, famílias, fundos e empresas — é relativamente tão elevado que os interesses monetários e financeiros claramente subordinam os interesses produtivos, inclusive pela manipulação ideológica ou política: o investidor é mitificado. O lado paradoxal desse processo é que, sem economia produtiva — ou seja, sem um fluxo regular de produção corrente, o PIB —, toda a riqueza líquida perderia valor!

A política monetária restritiva, que a ideologia conservadora vende como prova de austeridade e de responsabilidade, não passa de um instrumento geral de distribuição de renda em favor dos ricos. Isso fica mais claro quando a taxa de juros de empréstimo do sistema bancário se mantém num nível mais elevado do que a taxa de crescimento da renda nacional. Obviamente, se a parcela de juros sobre a renda nacional cresce mais do que a própria renda e se mantém nesse nível elevado, estará havendo transferência da renda do trabalho para a renda do capital — sendo o lado rentista do próprio setor produtivo, além do financeiro, também beneficiário dos juros através de aplicações financeiras líquidas de seu fluxo de caixa.

Os democratas norte-americanos, desde o New Deal, mudaram parcialmente o caráter regressivo da política monetária. Diante daquela que acabou sendo a maior depressão econômica da história do capitalismo, até a data, o Governo Roosevelt conseguiu forçar uma articulação entre o Tesouro e o Fed, dirigido pela figura fascinante de Marriner Eccles, de tal forma que o Fed, mediante a compra de títulos públicos, indiretamente passou a financiar os gastos públicos deficitários indispensáveis ao programa de estímulo da economia. Isso deu à articulação Tesouro-Fed um caráter indiscutivelmente democrático: o Congresso aprovava a expansão fiscal, discriminando o gasto público a favor dos mais necessitados (notadamente, fazendeiros em dificuldade e desempregados), e o Fed lhe dava cobertura, absorvendo em última instância o consequente déficit representado pelos títulos públicos emitidos. É o que acontece novamente agora sob outro presidente democrata, Barack Obama, embora com menor eficácia. O aspecto importante a considerar é seu efeito sobre os preços: o ponto de partida sendo uma situação de deflação, a expansão monetária se revela como necessidade para a retomada dos investimentos sem pressioná-la a curto prazo. Nesse contexto, a retomada do crescimento da economia favorecida pela expansão fiscal-monetária funciona como absorvedor da própria expansão monetária, sem risco de inflação mesmo a médio prazo.

Em 1946, o Congresso democrata aprovou a Lei do Pleno Emprego, que deveria condicionar a esse objetivo a política monetária e fiscal. Posteriormente, nos anos 1970, os democratas amarraram um pouco mais a política monetária a objetivos de interesse público amplo: atribuíram ao Fed a responsabilidade conjunta de assegurar a estabilidade dos preços, o emprego máximo e o adequado nível de expansão monetária para garantir o crescimento da economia. Isso significava uma política de taxa de juros e expansão da moeda compatível com tais objetivos, necessariamente não restritiva, salvo em circunstâncias excepcionais. Infelizmente, a circunstância excepcional apareceu logo em fins dos anos 1970 e início dos 1980, na forma de uma taxa de inflação galopante em todo o Ocidente. No comando do Fed, Paul Volcker, que na condição de acadêmico nos anos 1950 havia feito uma tese demolidora contra o monetarismo de Milton Friedman, recorreu justamente ao monetarismo para tentar domar a inflação, liberando a taxa básica de juros para patamares inéditos. No processo, quebraram dezenas de milhares de empresas, bancos e fazendas nos Estados Unidos, mergulhando o Terceiro Mundo em profunda e prolongada crise da dívida.

Essa virada da política do Fed constituiu a mais dramática transferência de renda de pobres (devedores) para ricos (credores) pela via da política monetária em toda a história. É importante compreendê-la em sua dimensão de economia política. A contrapartida radical de uma política monetária restritiva é uma política abertamente inflacionista, na qual a emissão monetária primária, sancionando aumentos exagerados do crédito bancário, vai adiante do crescimento da renda nacional. À primeira vista, a inflação monetária, nesse contexto, representa uma perda de renda real para o credor, a não ser que seja compensada por uma taxa nominal de juros ainda mais elevada do que a do aumento dos preços.

Na realidade, o processo é ainda mais complexo, pois transcende a relação débito-crédito no sistema bancário. A própria inflação é uma luta distributiva no plano das relações internas às empresas e das relações sociais em geral. No primeiro desses sentidos, é o efeito da luta de classes clássica: os trabalhadores se mobilizam por aumentos salariais nominais, e esses aumentos, tidos como custos, são transferidos pelas empresas aos preços. O caráter espiralado do processo impede que os trabalhadores se assegurem aumentos reais, neutralizando a inflação, mas os simples aumentos nominais atenuam os conflitos. É fora do mercado de emprego formal que as perdas de renda são mais violentas: sem a proteção da relação de emprego, os trabalhadores não sindicalizados, os pequenos produtores e os informais sofrem todo o impacto do aumento nominal e real dos preços, sancionado pela política monetária.

Aqui se encontra o principal ponto de conexão de aliança objetiva entre os muito pobres e os muito ricos nas democracias capitalistas avançadas, razão para o desconcertante apoio popular eleitoral a políticas conservadoras e restritivas: os perdedores com a inflação são, simultaneamente, os muito ricos e os muito pobres. Os muito ricos porque, na presença de uma política monetária frouxa, sem correção monetária de ativos financeiros e com taxas de juros reais baixas, perdem dinheiro líquido com a inflação; os muito pobres porque se defrontam com preços de produtos e serviços elementares cada vez mais altos em termos nominais, sem contrapartida de aumento compensatório de renda. Entre os dois polos, as classes intermediárias de empresários e trabalhadores formais conseguem defender, pelo menos parcialmente, sua renda real, eventualmente com apoio suplementar da política fiscal. Obviamente, tudo isso tem efeitos políticos.

No caso brasileiro, temos de considerar que a correção monetária de ativos financeiros e a moeda financeira, que será discutida adiante, deram base a um pacto político amplo de sustentação da economia inflacionária, no qual se incluíam também os trabalhadores organizados. Nenhum outro fator, isoladamente, contribuiu mais para a hiperinflação do que a indexação, inclusive pelo mecanismo da minidesvalorização cambial, que visava a sustentar a receita real dos exportadores em face dos custos salariais em queda real e até nominal. Também nesse caso os efeitos políticos devem ser analisados.

A *natureza concentracionista da política monetária ortodoxa*

É pela política monetária que é necessário iniciar o esforço de revelar o lado oculto da nova luta de classes no plano da economia política contemporânea. A política monetária é uma caixa-preta cujo funcionamento na economia não é compreendido pela esmagadora maioria da população, inclusive por boa parte dos próprios economistas. Por outro lado, os ideólogos ditos ortodoxos da política monetária se aproveitam de sua opacidade para dar cobertura a interesses reais de classe através de sua manipulação "técnica". Mais do que isso, a tríplice função da moeda — meio de pagamento, reserva de valor e medida de preços — dá a sua gestão um caráter fundamentalmente misterioso, na medida em que a ação do banco central relativa a uma função repercute, às vezes contraditoriamente, em outra.

Enquanto medida de preços e de meio de pagamento, a moeda desempenha a mais extensa de suas funções sociais ativas. É como expressão dessas funções que ela entra na equação básica do monetarismo, relacionando quantidade emitida e velocidade de circulação com nível médio de preços e de quantidades transacionadas por unidade de tempo — talvez a mais poderosa armadilha conceitual da teoria econômica. Não obstante, essa equação não passa de uma tautologia trivial, cuja objetividade depende de uma hipótese sobre estabilidade da velocidade de circulação da moeda e das transações, algo que, porém, teria de ser provado, não apenas pressuposto. Contudo, não me deterei em detalhes técnicos: vamos diretamente aos efeitos distributivos.

Qualquer vendedor de feira razoavelmente esperto sabe que o preço das verduras depende das oscilações da oferta e da procura. O produtor de aço, munido de estatísticas e gráficos, sabe da mesma coisa. Portanto, é realmente extraordinário que a opinião pública média, praticamente em todo o mundo, tenha se convencido de que a inflação é um efeito basicamente monetário, resultante de políticas fiscais expansivas ou de políticas monetárias frouxas, independentemente do ciclo da economia, e não da luta distributiva no nível da produção. Milton Friedman, o campeão do monetarismo, foi o grande arauto dessa ideologia: numa série de televisão ele insistia na imagem das impressoras de dinheiro oficiais criando descontroladamente inflação na economia norte-americana. Era uma imagem falsa!

Há múltiplas causas de inflação, e talvez a última delas seja efetivamente de raiz monetária. Duas são facilmente apreendidas pelo senso comum: a de custo, associada, por exemplo, a uma quebra de safra agrícola que deprime a oferta (os produtores se aproveitam do desequilíbrio para aumentar os preços), e a cambial, parente próxima da de custo, que surge quando o aumento do câmbio vem necessariamente acompanhado do aumento dos preços dos bens e serviços importados e exportados. O primeiro movimento de alta não será percebido caso haja uma queda compensatória em outros preços; a inflação só se instalará, para além do primeiro movimento, se esse for acompanhado de altas generalizadas em outros setores, mediante um processo de retroalimentação espiralado.

A mais famosa espiral redistributiva é a de preços e salários. No tempo em que a Europa Ocidental não se envergonhava de ser uma social-democracia, a espiral preços-salários era contida na porta da empresa, mediante grandes acordos e pactos sociais. Os trabalhadores se contentavam com modestos aumentos reais acima da produtividade, enquanto os empresários mantinham os preços estáveis. Naturalmente, havia conflitos, mas acabavam resolvidos por acordos. Nos Estados Unidos, avessos à ideia de pacto social e pouco tolerantes com sindicatos, o conflito distributivo resultou numa espécie de conspiração do mercado de trabalho formal contra o resto da população na forma de inflação de custos repassados a preços, a despeito de algumas tentativas de políticas de renda, inclusive sob presidência republicana (Nixon).

Diante do fracasso das políticas de rendas tentadas nos EUA, e da crescente irritação dos muito ricos e muito pobres com a inflação, algo a mais teria de ser tentado. E foi nesse contexto que entrou o monetarismo de Volcker no fim dos anos 1970 e início dos 1980. Sua lógica é precária e beira o fetichismo. Obviamente, é pouco provável que algum monetarista, a não ser os vulgares, acredite que o aumento do pão esteja diretamente relacionado com a expansão monetária. Isso não acontece nem com o pão nem com qualquer outro produto. A relação de causalidade é inversa, porém de uma maneira brutal: na medida em que se faz uma contração monetária violenta, é possível reduzir a demanda de pão a um nível que trave a alta de seus preços. Tudo depende do respaldo político que se tenha para uma contração suficientemente forte. (Eu nem sempre estive totalmente convencido disso; quem acabou me convencendo foi Celso Furtado, ao chamar minha atenção não para o efeito agregado da contração monetária, mas para sua incidência em cadeia no sistema produtivo!)

Nos Estados Unidos da transição dos anos 1970 para os 1980, esse respaldo era considerável por causa do desconforto inflacionário. E vinha reforçado por pressões da tríade conservadora externa, Londres, Frankfurt e Tóquio. É que a inflação norte-americana disseminara uma instabilidade monetária global, que afetava diretamente os interesses financeiros (riqueza líquida) que já se encontravam em processo de globalização. Em defesa da biografia de Volcker, deve-se dizer que ele, secretamente, tentou uma solução conciliatória antes de subir dramaticamente as taxas de juros. Entretanto, a tríade conservadora recusou entrar num acordo de controle de capitais para estabilizar o câmbio, voltando a algo como o esquema de Bretton Woods, deixando a Volcker mãos livres para a alternativa do monetarismo radical.

Em que consistia essa nova política monetária, que constituía uma ruptura radical com as práticas monetárias praticadas desde o New Deal? Em essência, quando se contrai o crédito e se aumenta a taxa básica de juros, o acesso ao crédito fica mais caro e restrito mesmo para os que têm propriedade ou renda garantida. Subjacente a isso, vai, pois, uma transferência de renda dos tomadores de crédito, sejam empresas ou famílias, para os donos do dinheiro. Contudo, isso não afeta o conjunto das empresas. As grandes corporações não precisam muito de crédito bancário: levantamentos feitos e repetidos desde o início do século XX mostram que sua estrutura de capital se compõe, em média, de 70% de fluxo de caixa próprio, 20% de captação no mercado de capitais e apenas 10% em crédito bancário.

Revela-se, assim, a mágica que o sistema bancário tem como aliada natural na implantação de políticas monetárias restritivas (leiam-se contração de crédito e juros altos, o grande capital produtivo representado pelas corporações gigantescas da vanguarda capitalista). Elas não pagam por empréstimos bancários, ganham com eles. Seus recursos líquidos giram no sistema bancário, obtendo juros, e esse funciona como um instrumento auxiliar de seus ganhos globais, que somam lucros produtivos e renda financeira. A isso, obviamente, corresponde uma aliança política básica, de maneira a influir na direção do Estado. É que a política monetária é essencialmente concentracionista da renda nacional, em confronto com a política fiscal democrática. A luta de classes sai da fábrica para o espaço amplo da política, opondo monetaristas ortodoxos e progressistas fiscais.

O jogo de poder por trás da ideologia monetarista

À luz dos processos históricos anteriormente analisados, fica mais fácil compreender o jogo de poder que, por trás dos disfarces ideológicos, atualmente contrapõe a política econômica norte-americana à política europeia liderada pela Alemanha. Pasmem: os mocinhos são os norte-americanos. E é a Alemanha, em outro tempo a vanguarda do progresso social europeu, que conduz o resto da Europa a uma onda inexorável de convulsões sociais estimuladas por uma combinação insana de políticas fiscais e monetária restritivas, em plena carência de demanda agregada e de demanda externa (exceto, circunstancialmente, da própria Alemanha) — ou seja, num contexto totalmente inibidor do investimento privado e da retomada do emprego.

Recue-se um pouco na história: o milagre alemão é o milagre da economia *export led*, característica igualmente do Japão do pós-guerra e, posteriormente, da Coreia, China e outros asiáticos de menor porte. Uma economia com elevados saldos comerciais pode dar-se ao luxo de crescer a despeito de políticas monetárias só aparentemente restritivas: onde há um nível decente de participação do trabalho na renda nacional é suficiente, para fazer girar na margem o processo econômico em crescimento, a expansão monetária que resulta da contraparte interna das rendas oriundas de superávits de exportações, convertidos total ou parcialmente em salários e lucros realizados internamente, desde que não haja uma política de esterilização desses recursos do tipo *currency board*, que foi imposta a algumas ex-colônias por Inglaterra e França, mas não na órbita norte-americana do pós-guerra. O aumento de exportações possibilitou aumento de produtividade, e esse gerou o aumento dos salários; a concomitante expansão da renda empresarial, por fim, viabilizou o crescente investimento, interno e externo, e formou a base tributária sobre a qual recaiu uma política fiscal redistributiva, equilibrada, fundamento sólido da social-democracia.

A experiência alemã foi imitada no resto da Europa Ocidental, com maior ou menor grau de sucesso. Contudo, essa arquitetura de relativo equilíbrio entre políticas de renda, política externa, política monetária e política fiscal, conduzindo a um também relativo equilíbrio social, seria atropelada pelas crises cambiais desde o início dos anos 1970, geradas pela instabilidade inflacionária norte-americana. Foi uma década angustiante, a começar pela ruptura dos acordos de Bretton Woods em 1971, sobre os quais estava construída a ordem financeira internacional (câmbio fixo e controle de capitais). Os europeus tentaram diferentes fórmulas de estabilização de suas moedas em flutuação livre perante o dólar, essencial para combater a inflação, a partir da forte estrutura do Mercado Comum Europeu, mas o máximo que conseguiram foram acordos precários (Rambouillet e Plaza). No início dos anos 1980, enquanto Thatcher e Reagan desfechavam sua campanha neoliberal, a França socialista de Mitterrand fez uma tentativa de política econômica autônoma progressista, mas, sob a chantagem dos mercados, teve de capitular. Foi nesse contexto que germinou e se consolidou a ideia da moeda comum, depois batizada de euro.

A despeito dos eurocéticos, havia uma dupla razão para o apoio europeu ao projeto da moeda comum: do ponto de vista político, era um instrumento de consolidação do projeto de união do continente, afugentando definitivamente as sombras das guerras; do ponto de vista econômico, era a garantia, pela via do banco central independente, de uma política monetária oposta ao projeto fiscal redistributivista herdado da social-democracia europeia, acusada pelos conservadores de estimular uma apropriação crescente da renda nacional pelo trabalho, em detrimento do capital (baixa produtividade em relação ao aumento dos salários, desestimulando os investidores e a inovação). Na realidade, a própria base fiscal do projeto social-democrata foi violada: o Tratado de Maastricht e o Pacto de Estabilidade e Crescimento, que instituiu o euro, limitaram o déficit fiscal a 3% do PIB e a dívida pública a 60% para adesão à nova moeda.

Tentemos penetrar na economia política por trás desses parâmetros. Não existe nos documentos justificadores da criação do euro nenhuma explicação técnica razoável para que o limite da dívida pública na União Europeia tenha sido fixado em 60% do PIB; também nada justifica, tecnicamente, o limite de 3% do PIB para o déficit fiscal. Trata-se de parâmetros arbitrários, que viriam a ter consequências brutais na crise fiscal no sul da Europa depois de 2008. Contudo, por um exercício elementar de aritmética, podemos concluir muito facilmente que, se 60% do PIB é o limite máximo da dívida pública, e 5% é a taxa de juros nominal média incidente sobre ela, 3% do PIB de déficit público correspondem exatamente ao volume anual de juros que se deve pagar sobre a dívida pública, sem qualquer sobra para despesas fiscais discricionárias. Com isso se cancela a possibilidade de utilização da receita de senhoriagem ou do déficit nominal a favor de parcelas mais pobres da população: ela serve exclusivamente aos ricos, para garantir seus ativos financeiros, via política fiscal-monetária. A riqueza líquida dos poderosos fica, assim, assegurada.

A operação desse sistema exigia um banco central independente, desvinculado dos tesouros nacionais europeus, pois do contrário haveria o risco de acomodação monetária a déficits fiscais acima dos limites admitidos. Com isso, fechava-se qualquer possibilidade de políticas fiscal-monetárias progressistas e socialmente orientadas no cenário europeu. Fechava-se também a possibilidade de políticas fiscais anticíclicas na região, o que se revelou um truque de mau gosto da história: com a crise financeira mundial, a União Europeia se precipitou para salvar os bancos com linhas de crédito e de trilhões de euros, mas não teve condição de fazer grandes programas de estímulo fiscal. Como consequência, arrasta-se na recessão, inclusive na Alemanha, onde se instalou a desaceleração depois de algum crescimento em 2010.

É fato que o programa conservador do euro não foi plenamente executado: como observou Galbraith a respeito das convicções dos ortodoxos, quando baixa a crise mandam-se às favas os princípios. No curso da crise grega, que apenas descortinou as outras crises do sul da Europa — Espanha, Portugal, Itália, além da Irlanda e, fora da área do euro, a própria Inglaterra — o Banco Central Europeu (BCE) admitiu comprar no mercado secundário títulos públicos dos países afetados, embora em pequena escala. Foi e continuará sendo inútil: o comando da economia política na União Europeia, após o Pacto de Estabilidade e Crescimento, está de fato nas mãos das agências de *rating*. Foi às agências de *rating* que os governos entregaram a função de determinar se um país faz ou não uma política econômica responsável, sendo considerada responsável, curiosamente, a política exercida dentro dos critérios fiscais de Maastricht. Uma vez desclassificado um país por agência de *rating*, ele sucumbe à chantagem do mercado, que passa a exigir taxas de juros crescentes para a renovação de sua dívida pública antiga e criação de nova.

A alternativa progressista (keynesiana) para isso, num contexto de crise geral de demanda, de investimento e de emprego, como na Europa atual, seria a aquisição em massa de novos títulos públicos pelo BCE, não apenas no mercado secundário, gerando recursos fiscais significativos para programas de estímulo à retomada da economia, a começar pelas do sul da região. Entretanto, a Comissão Europeia, dominada pela Alemanha, seguiu o inacreditável caminho de recorrer ao FMI para impor um programa de austeridade à Grécia. Imediatamente, outros países seguiram a receita mesmo sem acordo formal com o FMI (exceto a Hungria, que repeliu o Fundo), com suporte de um fundo bilionário europeu bancado em grande parte pela Alemanha e França, na mais extraordinária capitulação ideológica coletiva de países desenvolvidos ao regime-padrão de uma agência multilateral historicamente caracterizada como instrumento de violação de soberanias econômicas de países em desenvolvimento.

Em que consiste o programa-padrão de austeridade do FMI? Basicamente, trata-se de cortar salários, pensões e gastos públicos em geral para fazer retrair a demanda agregada e criar excedentes exportáveis. Há variações: penduram-se às vezes no programa compromissos de privatização, aumento de impostos indiretos, desvalorização do câmbio, aumento de juros. Em qualquer hipótese, o objetivo central é aumentar as exportações, mesmo que à custa de imensos sacrifícios pessoais internos. Naturalmente que, para o programa funcionar, ao aumento de excedentes exportáveis de um país em crise deve corresponder, no exterior, uma disposição de aumentar as importações dele. E é justamente nesse ponto que temos uma situação peculiar no mundo contemporâneo: todos os países ricos querem exportar e ao mesmo tempo querem restringir importações pela via da contração da demanda interna mediante ajustes fiscais. O programa do Fundo, se funcionou alguma vez em circunstâncias normais da economia mundial, não tem como funcionar numa situação de colapso do comércio mundial, que se contraiu 12,2% em volume e 25% em valor em 2009 e que em 2011 ainda não se recuperou plenamente, sobretudo na Europa!

No que diz respeito à economia política, o programa do FMI é tão espantosamente óbvio, e de mau gosto, como os filmes de sexo explícito. São os pobres que pagam a conta via redução de salários e de gastos públicos, em especial quando os gastos públicos são de natureza social. Na relação comercial com o exterior, o comando do excedente sobre uma base salarial reprimida é das empresas; assim, quanto maior é o excedente comercial, maior é a transferência de renda de pobres para ricos na relação empresarial. E, à vista do que se discutiu anteriormente, não estamos diante apenas de relações sociais nas empresas, mas também de relações políticas, mediante a orientação que se dá ao gasto orçamentário: os incentivos diretos e indiretos às exportações prevalecem sobre as demais despesas do governo.

Finalmente, convém examinar em maior detalhe a economia política alemã e sua influência sobre a do resto da Europa. Houve uma certa euforia entre os fiscal-monetaristas ortodoxos em relação à performance econômica alemã a partir do último trimestre de 2009. Parecia a vitória da austeridade sobre a gastança, mesmo porque, tendo uma invejável posição fiscal, a Alemanha ainda assim decidiu anunciar um programa de austeridade esse ano, retirando os parcos estímulos fiscais que tinha dado no início da crise. A razão da euforia era uma estimativa de forte crescimento do PIB em 2010, o maior de toda a área do euro.

No segundo trimestre desse ano, os indicadores já não eram tão favoráveis. E as estimativas tiveram de ser revistas. Caso contrário, estaríamos, sim, diante de um novo milagre alemão: como um país que em tempos normais exporta dois terços de sua produção para o resto do mundo, 40% dos quais para a Europa e 12% para o sul europeu em plena crise, pode crescer tão favoravelmente se a maioria dos seus compradores está em recessão? É fato que a Alemanha investiu fortemente na conquista de novos mercados na Rússia, na China, na Índia e nos próprios Estados Unidos, mas, evidentemente, seu êxito comercial não pode ser indefinido, diante da situação econômica mundial. É de se notar, além disso, que, no auge da crise, a Alemanha adotou um inteligente programa de proteção ao emprego pelo qual o governo se responsabilizou pelo pagamento de metade dos salários na medida em que os trabalhadores fossem mantidos nas fábricas. Foi um programa emergencial importante, de alto sentido social, mas, do ponto de vista das exportações, representou uma redução de custos de produção que pode ser evidentemente interpretada como dumping salarial nas exportações. Também isso, obviamente, não se repetirá indefinidamente, uma vez tendo sido retirado o estímulo.

Chegará a hora, provavelmente ainda em 2011, em que a Alemanha se defrontará, pela primeira vez no pós-guerra, com as contradições de sua política econômica. Tendo se tornado o maior país exportador do mundo, só no ano passado desbancada pela China, a Alemanha combinou alta produtividade de sua mão de obra, tecnologia de ponta e agressividade comercial para criar uma economia de alto padrão econômico e social, na vanguarda do desenvolvimento mundial. Esse modelo só tem um defeito: não pode ser generalizado. Claro, o comércio mundial é um jogo de soma zero, no qual é aritmeticamente impossível que todos os países sejam superavitários no balanço de pagamentos ao mesmo tempo. A Alemanha poderia viver feliz eternamente se a China, o Japão e o resto da Ásia também não decidissem ser superavitários, como bons mercantilistas. (Aliás, a China se tem reorientado para o mercado interno, muito responsavelmente!)

Para recuperar seu equilíbrio dinâmico, também a Alemanha terá de desviar para o mercado interno parte da produção de bens e serviços que exporta. O problema é que ela exporta sobretudo máquinas e equipamentos empregados na produção de bens de consumo, o que funcionou muito bem no passado, quando a contrapartida de suas exportações, sobretudo para a Europa, era a abertura de seu mercado a importações de bens de consumo produzidos externamente com ajuda de suas máquinas. Agora, é necessário combinar essa estratégia com o estímulo ao mercado interno. Do contrário, haverá desemprego e queda do investimento. Esse deslocamento implica uma mudança fundamental na economia política do país: o aumento do consumo interno representa uma democratização da renda real. Isso só pode acontecer por duas vias: o aumento do salário real, que é discriminatório, e o aumento do gasto fiscal social, que é redistributivo em escala universal.

Essa é a história que vale em parte também para o resto da Europa, notadamente a do sul, que sente o impacto maior da crise fiscal gerada pela salvação do sistema financeiro (e não por gastos sociais "irresponsáveis" dos governos, como os ideólogos do mercado alegam). *De te fabula narratur*, igualmente aqui. Não importa a posição fiscal no momento de decolagem de um programa de estímulo: o que importa é o nível da demanda agregada, o nível de desemprego e a inflação (em geral deflação), o que exige um influxo vigoroso de gasto público deficitário, garantido na retaguarda pela compra dos correspondentes títulos públicos pelo banco central. Isso é, em essência, o que pode caracterizar, para a Europa e para o mundo, uma economia política progressista para suplantar a crise. Déficit público é riqueza privada; numa economia em profunda recessão, a riqueza líquida privada jamais poderá realizar-se sem o impulso inicial de mobilização dos próprios recursos privados pelo setor público, através do déficit orçamentário.

Entretanto, no mundo efetivamente globalizado — e não há por que esperar que a globalização recue, exceto a financeira — não há mais espaço para políticas expansivas isoladas, por mais que sejam necessárias e urgentes. Além disso, é fundamental o controle governamental sobre os fluxos financeiros, campo no qual a Europa se revela mais progressista do que os Estados Unidos, que até o momento rejeitaram uma taxa sobre aplicações internacionais especulativas. O fato é que os países têm de entrar em acordo em torno de uma reestruturação financeira abrangente e sobre programas de estímulo fiscal. Nesse último aspecto, Barack Obama tem insistido em propô-los nas reuniões do G-20, mas a Europa resiste. Como consequência, o programa de estímulo norte-americano acaba vazando para a Alemanha, a China e o resto da Europa (ou para o mundo inteiro) sem contrapartida favorável no sentido do aumento da renda e do emprego dentro dos Estados Unidos. Ou seja, nem todos os líderes mundiais compreenderam que é necessária uma ação coletiva, já que entramos inexoravelmente nas bordas da Idade da Cooperação, conforme tenho defendido em diferentes textos.

A esse respeito, é ilustrativa a proposição apresentada por Dominique Strauss-Kahn, o então diretor-gerente do FMI, no fórum sobre desemprego promovido pela Organização Mundial do Trabalho no início de setembro de 2010. Rompendo com a tradicional frieza dessa instituição em relação a questões sociais, Strauss-Kahn exortou os países a adotarem políticas urgentes para reduzir o desemprego, sobretudo de jovens. Num apelo retórico digno da velha esquerda fundamentalista, o diretor-gerente do Fundo argumentou que o alto desemprego poderia colocar o mundo até mesmo no risco de guerra.[1] Claro, espera-se que essa seja uma tomada de consciência, não só do FMI como de outras agências conservadoras, como OCDE, Banco Mundial e BID, no sentido de uma ruptura com políticas fiscal-monetárias restritivas que até aqui têm sido sua marca registrada, rumo à mencionada Idade da Cooperação.

A ortodoxia falsa dos ideólogos brasileiros

É extraordinário, mas esses temas, fundamentais para a ordem mundial futura e determinantes das condições socioeconômicas nacionais que estão se reconstituindo neste momento, sequer são considerados pelos políticos profissionais e pelos partidos. No Brasil, a campanha eleitoral presidencial de 2010 passou ao largo deles. Tentarei explicar por quê. Desde já, convém afastar o julgamento pretensioso a respeito do caráter de políticos, de sua honestidade pessoal ou de sua fidelidade ao bem público, de sua ignorância ou de quaisquer outras conotações subjetivas. O político, como qualquer um, está mergulhado num mundo de ideologias. São elas que, à falta de crítica de seus fundamentos, comandam o processo social e político.

Os partidos de direita, tradicionalmente, tiveram e continuam tendo, em todo o mundo, uma relação funcio-

---

[1] Tendo em vista a armadilha sexual posteriormente montada contra Strauss-Kahn nos Estados Unidos, não deixa de ser intrigante esse discurso violentamente oposto aos interesses da alta finança internacional.

nal com as ideologias. Constroem ideologias e fazem delas instrumentos de defesa de seus interesses, assim como meio de dominação, no que for possível, de todo ou parte do aparelho do Estado. Os de esquerda, tradicionalmente, quando autênticos, usavam ideologias como um farol na busca e na construção do próprio poder político ou de uma utopia. Há fundamental diferença entre essas duas posturas: malgrado o materialismo de Marx, a esquerda se tornou ideologicamente idealista, enquanto a direita se manteve simplesmente realista.

O que isso importa, afinal? Tal processo, em realidade, foi socialmente virtuoso durante muito tempo, quando os diferentes faróis de esquerda iluminavam o caminho da busca da justiça social. E, claro, isso foi facilitado pela Guerra Fria, pois a presença de uma potência mundial socialista militarmente em pé de igualdade com a potência capitalista hegemônica era uma referência importante da luta política também nas democracias ocidentais. Entretanto, o Muro de Berlim foi derrubado, e pouco depois a União Soviética, revelando-se ao mundo as entranhas carcomidas do socialismo real. Sem referência externa, os faróis de esquerda tiveram de voltar-se para dentro de si mesmos. Nisso caíram numa tremenda confusão, a meu ver em razão do despreparo de muitos de seus dirigentes, particularmente intelectuais europeus e certamente a maioria dos economistas, para a crítica econômica do mundo pós-soviético e do próprio neoliberalismo.

Não há outra explicação, a não ser um estado de total alienação crítica, para que o Partido Trabalhista inglês, o Partido Comunista Italiano, o Partido Social-Democrata alemão, o Partido Socialista francês e o Partido Socialista espanhol — ou seja, praticamente todos os grandes partidos anteriormente progressistas da Europa —, tenham, sem exceção, capitulado ao neoliberalismo dos anos 1990 para cá. Deve-se acrescentar ao grupo a maioria do Partido Democrata norte-americano nos anos Clinton. Assim como a quase totalidade dos antigos partidos comunistas da antiga cortina de ferro (de novo, exceto Hungria). E o que significa, nesse contexto, a capitulação ao neoliberalismo? Significa aceitar o princípio de políticas monetárias e fiscais restritivas, limitadoras do gasto público de natureza social, em nome da estabilidade monetária e independentemente do desemprego e do ciclo econômico.

Nessa situação, vejamos o Brasil dos últimos anos: o que um torneiro mecânico, dirigente sindical carismático e que se revelaria um genial líder político, condutor de um partido também originário da esquerda, poderia fazer, em matéria de economia política, quando chegasse à Presidência da República? Virar de ponta-cabeça a política econômica? Mas a partir de qual referencial? O da esquerda europeia mergulhada em confusão? Ou o dos democratas oportunistas de Clinton, também convertidos ao neoliberalismo? O fato é que, do lado da antiga esquerda, sobrou muito pouco como referência, pois ninguém poderia levar a sério Fidel Castro ou Coreia do Norte como modelo; e, do lado do que poderia ser chamado nova esquerda, escondia-se a sombra do velho liberalismo econômico anterior à Grande Depressão.

O caminho seguido foi necessariamente ambíguo. Conforme uma curiosa observação do vice-presidente

José Alencar, "fizemos tudo errado, mas deu certo." Alencar foi a figura política brasileira mais interessante das últimas décadas. Fez a partir do nada o maior conglomerado têxtil do Brasil, recentemente estendido ao exterior mediante fusão com uma grande empresa norte-americana. Sem qualquer formação acadêmica, autodidata, tornou-se um crítico acerbo da política monetária brasileira, que corretamente acusou de ser a maior fonte de desequilíbrio fiscal, com uma conta anual de juros da dívida pública de mais de R$ 160 bilhões.

Não obstante as críticas de seu vice, cuja recíproca lealdade seria expressa no convite a Alencar para ser o candidato à mesma posição na campanha de reeleição de 2006, Lula resistiu a interferir na política monetária, em respeito à autonomia operacional e política do Banco Central. Em que exatamente consistiu essa política e por que, na avaliação do vice-presidente, ela afinal "deu certo"?

É preciso lembrar que Fernando Henrique Cardoso, o príncipe dos sociólogos que chegou à presidência brasileira com o brilho de domador da hiperinflação, foi quem efetivamente alinhou ao neoliberalismo a política econômica do Brasil. Antes dele, Fernando Collor apenas espalhou confusão, enquanto Itamar Franco, toscamente, procurou pôr ordem na casa, tanto em termos políticos quanto econômicos, e certamente sem um rumo muito claro. Assim, foi Fernando Henrique, através de uma equipe econômica dita ortodoxa, quem decidiu amarrar exclusivamente na política fiscal-monetária o suposto controle da inflação — que havia sido efetivamente domada, sim, mas por conta sobretudo da desindexação —, mesmo que disso resultassem brutais transferências de renda para o sistema financeiro.

No plano monetário, o presidente-sociólogo, mediante simples decreto, e logo após o colapso cambial de 1998, que atestava o fracasso de sua política monetária, conferiu ao Banco Central independência operacional, e mesmo política, e o objetivo singular de controlar a inflação. Eis aí a fonte da independência política do Banco Central do Brasil: para controlar a inflação, vale tudo, mesmo uma desnecessária taxa de juros mantida durante anos seguidos como a mais alta do mundo, gerando brutais transferências de renda de pobres e em especial das classes médias para os ricos. Enquanto a economia real rastejava ao longo do seu segundo mandato, Fernando Henrique cumpriu, com subserviência, os ditames do FMI, chamado a socorro do Brasil em face da crise cambial. Paralelamente, para agrado do Fundo e da comunidade financeira internacional, escalou no programa de privatização (inclusive de praticamente todos os bancos estaduais) e no aperto fiscal ao setor público.

Em termos de economia política, o que se fez e ainda se faz no Brasil é inverter o papel da política econômica na distribuição da renda nacional. Enquanto no regime de uma social-democracia real o banco central é um auxiliar do Tesouro na ampliação de recursos fiscais para financiar gastos públicos redistributivos, no regime brasileiro, caricaturado da ortodoxia monetária, o banco central gera imensas despesas financeiras para o Tesouro, que se vê obrigado a retirar recursos do orçamento fiscal conjunto financiado por todos, inclusive, via impostos indiretos, pelos mais pobres, para pagar as exorbitantes taxas de juros da política monetária.

Lula poderia ter mudado isso? Antes de tentar responder, convém examinar a mecânica subterrânea específica desse processo fiscal-monetário no Brasil. Enquanto, em todo o mundo, existe uma distinção clara entre taxa básica de juros, usada para regular as reservas bancárias, e taxa de remuneração de títulos públicos, pela qual o Tesouro capta recursos do sistema bancário e do público para financiar o orçamento, no Brasil ambas se confundem no mercado aberto. Nesse, cerca de 40% da dívida pública, vinculados à taxa monetária básica, têm liquidez diária. Portanto, é uma espécie de moeda financeira, moeda que rende juros sem ficar indisponível para o aplicador: uma farra financeira tipicamente brasileira.

De um ponto de vista técnico, a distinção entre taxa básica de juros (monetária) e taxa de remuneração da dívida pública (financeira) é essencial para o exercício de uma política monetária de cunho ortodoxo. Suponhamos que o modelo de metas de inflação, adotado pelo Governo Fernando Henrique depois da crise cambial de 1998, não fosse puro charlatanismo, como de fato é: no regime desse modelo, uma elevação da taxa básica de juros resulta em contração do crédito e da demanda, como em todo sistema monetário normal. Portanto, presume-se que contenha a inflação pela contenção da moeda. Aqui não. Na presença de moeda financeira — moeda sacável pelos bancos no mercado aberto a qualquer momento, sem punição pela iliquidez, bem como a moeda financeira dos fundos mútuos, disponível para empresas e famílias endinheiradas —, um aumento da taxa básica de juros, vinculada a 40% da dívida pública, impulsiona efetivamente a disponibilidade de moeda na economia, ampliando direta ou indiretamente o poder de consumo das classes médias, dos ricos e das empresas que têm contas remuneradas diariamente.

Acaso Lula é o culpado por manter esse sistema? E Fernando Henrique? E Itamar? E Collor, com seu plano trapalhão? E Sarney, com seus três ministros de Fazenda, de Dílson Funaro, Bresser Pereira a Maílson da Nóbrega, o último dos quais, Maílson, achava que o culpado pela hiperinflação em curso no Brasil era a Constituição de 1988? E os militares? E os ortodoxos Roberto Campos e Octávio Gouvêa de Bulhões... Um momento! O sistema foi inventado justamente por Campos e Bulhões, os pais da ortodoxia brasileira. Eles foram os introdutores de correção monetária sobre títulos líquidos, o ovo da serpente da moeda financeira, na medida em que o BC da época entendeu de colocar no mercado títulos com prazo decorrido e aceitar cláusulas de recompra dos títulos sem prejuízo de rentabilidade.

É claro que, com esses precedentes, e a partir da sanção globalizante do presidente-sociólogo, o sistema financeiro brasileiro acabou ganhando dimensões de intocável. Assim, na ausência de um terremoto financeiro internacional, o torneiro mecânico e sua equipe, mesmo se quisessem, jamais poderiam mexer nessa arquitetura, sem risco de chantagem do próprio sistema financeiro e da grande mídia a ele vendida. Nos Estados Unidos, Barack Obama aproveitou o terremoto para fazer avançar uma reforma financeira abrangente, a qual, assim mesmo, está incompleta. Não é nada fácil, na civilização modelada pelo capitalismo, afetar direito de propriedade. Dinheiro, não se esqueçam, é propriedade líquida, a mais sensível!

Para o presidente Lula, não sendo ele e muitos de sua equipe especialistas em política fiscal-monetária, teria sido praticamente impossível, como foi, mudar a política econômica herdada. Afinal, como disse Alencar, estava dando certo. O presidente herdou uma situação à beira do caos: inflação galopante (lembrem-se de que não havia mais correção monetária de salários), extrema desvalorização cambial, setor público desestruturado, investimento público próximo de zero, altíssima taxa de desemprego. As contas públicas estavam em relativo equilíbrio, sim, porém à custa de contração violenta do gasto, que comprometia a própria eficácia do aparelho público.

Nesse quadro, a decisão tomada, não pelo presidente, mas sancionada direta ou indiretamente por ele, foi elevar violentamente a taxa básica de juros (em tese, para combater a inflação) e fazer elevados superávits primários no orçamento público consolidado (para convencer o mercado dos propósitos ortodoxos do governo). Para surpresa geral, inclusive minha, isso funcionou. E não é nenhuma vantagem apontar, *ex post,* os motivos pelos quais funcionou: o *boom* internacional que se iniciou em 2002, totalmente imprevisto, puxado pela China, fez explodir o mercado de *commodities*, especialmente minério de ferro e soja; a taxa cambial brasileira, por sua vez, tinha estado tão alta em 2002, que, mesmo se valorizando nos anos seguintes, ajudando a conter a inflação, manteve-se em patamares favoráveis às exportações também de manufaturados. A expansão das exportações animou o mercado interno de trabalho, esse a demanda, essa o investimento. E não foi tudo.

Do lado de baixo da pirâmide social, o presidente — e, nesse caso, o mérito é exclusivamente dele, pois se tratava de uma decisão política direta, sem tecnicalidades — poria em marcha o Bolsa-Família, para atender aos mais miseráveis entre os cidadãos brasileiros, e a política de aumento real do salário mínimo, que teria um efeito extremamente benéfico para aposentados e para a economia. A demanda interna de bens de consumo popular reagiu, favorecendo ainda mais o emprego. Esses fatores combinados seguraram a economia contra uma recessão no primeiro mandato — já que o crescimento continuava lento e foi abortado pelo BC em 2005 — e a puseram na trilha de recuperação firme a partir de 2006. Logo depois, vieram a crise internacional e uma nova recuperação após 2009, mediante um eficaz programa de estímulo!

O que, afinal, aconteceu em matéria de economia política nesses anos Lula? Tornamo-nos, momentaneamente, sem querer, uma economia *export led* do tipo alemão ou japonês. Isso, porém, surpreendentemente, pela via de exportações de *commodities*, embora também de manufaturados de baixo ou médio nível de tecnologia. Meu dileto mestre Celso Furtado ficaria espantado diante disso. Afinal, uma das causas do subdesenvolvimento não era exatamente a especialização do Terceiro Mundo em exportação de matérias-primas cujos termos de intercâmbio tendiam a cair sistematicamente ao longo do tempo?

Agora, vemos aumentos anuais do preço do minério de ferro de mais de 100%... É cedo para dizer que Furtado e outros cepalinos estiveram errados. O futuro da economia chinesa é uma incógnita. Se ela reduzir o ritmo de importação de *commodities* — ou se outros mercados, como a África e algumas regiões da Ásia, entram nesse mercado como produtores e exportadores — a situação se inverte novamente.

O surto exportador anterior, que elevou a 60% a participação de manufaturados nas vendas externas brasileiras, deu uma contribuição decisiva à expansão do mercado interno, pela via dos salários, e à expansão monetária, pela via da conversão de saldos comerciais externos não esterilizados. Ao mesmo tempo, ofereceu uma base objetiva ao mercado para a vinda de capitais externos na condição de investimentos financeiros e diretos, em especial quando se percebeu a propensão do BC a favorecer a valorização cambial através de taxas de juros básicas muito elevadas. Tudo isso pode ser atribuído a uma política monetária fundamentalmente errada, mas que, por outras razões, até o momento deu certo. Já para o futuro, temos uma conta aberta.

A balança comercial se inverteu: agora são as *commodities* que detêm 60% das vendas externas, enquanto os manufaturados, em queda livre, são menos do que 40%. O superávit comercial está desabando e o déficit em conta corrente aumentando. Em poucos meses, estaremos sob ameaça de uma sangria de divisas. O pior é que essa situação não se inverte facilmente e nem sem dor. O controle da inflação, tão caro ao presidente Lula, por sua justa preocupação com os efeitos inflacionários sobre aqueles que estão na base da pirâmide social, não se deveu a controle de demanda, como já discutido. Foi efeito da valorização do câmbio. Entretanto, a valorização do câmbio está em contradição com a retomada do equilíbrio externo: agora precisamos urgentemente desvalorizar para estimular exportações e restringir importações.

Perspectivas brasileiras e mundiais diante da crise global

Qual o caminho a tomar no contexto da crise mundial? O Brasil sobreviveu razoavelmente ao primeiro impacto da crise de 2008 por uma inteligente combinação de política fiscal e financeira, embora mantendo em larga medida a política monetária restritiva (pateticamente, subiu a taxa de juros até janeiro de 2009, alguns meses depois que os principais bancos centrais haviam reduzido sua taxa básica a quase zero para estimular as economias). Ao lado disso, sustentou as políticas sociais através de aumento real do salário mínimo, incremento do Bolsa-Família e desoneração do IPI de automóveis e de bens de consumo popular, com efeito igualmente expansivo sobre a economia. No plano macroeconômico, determinou aos bancos públicos ampliar seus empréstimos e abriu uma linha direta do Tesouro para o BNDES de R$ 100 bilhões, depois ampliada para mais R$ 80 bilhões, a fim de financiar o investimento. Nesse caso, não há como dizer que se fez a coisa errada. Fez-se a coisa certa e deu certo, embora não exatamente como uma "marolinha": o país sofreu o impacto de uma retração de 0,2%

do PIB em 2009 e uma recuperação aparentemente firme teria de esperar o terceiro trimestre daquele ano.

Já se viu, pelo movimento recente do comércio exterior brasileiro, que a perspectiva de crescimento no modelo *export led* dificilmente se sustentará. Décadas atrás dizia-se que nenhuma economia continental poderia desenvolver-se com base em exportações. A China desqualificou esse mito. Contudo, o modelo chinês de planejamento centralizado, sistema bancário totalmente público e acelerada acumulação de capital por sobre salários miseráveis dificilmente pode aplicar-se ao Brasil, por motivos sociais e políticos. Outras economias exportadoras asiáticas, inclusive a Índia, também não servem de modelo, por sua escala ou pelo alto grau de especialização, como havia ocorrido com o Japão.

Nosso destino de economia continental nos força a colocar o peso maior de nossa estratégia de desenvolvimento no mercado interno — e, especialmente, no mercado "interno" expandido da América do Sul. Queiramos ou não, é o modelo norte-americano centrado na expansão doméstica. Entretanto, para usar o mercado interno como alavanca do desenvolvimento, é necessário protegê-lo das assimetrias perversas do comércio exterior, em especial dos mecanismos de livre comércio que favorecem os países industrializados avançados e, sobretudo, de uma forma ainda mais prejudicial ao desenvolvimento interno, a liberdade irrestrita dos fluxos de capitais de entrada e saída, para simples especulação.

Sem a retomada da economia interna, e impossibilitados de sermos uma economia exportadora de manufaturados, a crise externa, cedo ou tarde, nos mergulhará na antiga maldição das crises cambiais e da inflação que sempre lhe esteve associada. A razão é que, com a deterioração do balanço de pagamentos (compras de *commodities* pela China e pelo resto da Ásia têm limites!), o BC terá de forçar abruptamente a desvalorização do câmbio. Isso, na ausência de políticas de renda para o controle dos preços e salários, implicará inevitavelmente inflação. Claro, com o câmbio em processo de desvalorização, haverá a compensação pelo lado do aumento das exportações de manufaturados. Porém, trata-se de um processo demorado, viscoso e que deixa sequelas ao longo do caminho.

A crise externa poderá ser acelerada, como sempre ocorre, pela repatriação de investimentos financeiros especulativos, antes atraídos pelos altos juros e pela valorização cambial. Tem um efeito cumulativo. O BC tenderá a aumentar ainda mais a taxa de juros, na direção inversa ao exigido pela política cambial, em nome do combate à inflação. Isso, em termos de economia política, significaria aprofundar os processos que temos examinado de transferência de renda dos pobres para os ricos. A manifestação explícita final, na ausência de uma reforma financeira, seria uma carga de juros extorsiva sobre o orçamento, mais do que absorvendo o superávit primário e gerando uma escalada de déficit nominal totalmente estéril.

É que, na institucionalidade fiscal-monetária brasileira, déficit público não tem financiado gasto governamental, mas apenas juros — ou melhor, juros sobre juros. O governo estabelece uma meta de superávit primário, sim; trata-se de um excedente das receitas públicas sobre as despesas não financeiras para pagar juros. À primeira vista, é contracionista: o governo está tirando mais recursos da economia do que lhe devolve sob a forma de despesas governamentais reais. Acontece que esse superávit primário, como proporção do PIB, é inferior aos gastos com juros da dívida pública. Portanto, globalmente, o orçamento total, dito nominal, seria deficitário e expansionista: o governo gasta mais do que arrecada. Contudo, quando se observa a qualidade da contrapartida do gasto deficitário, ou seja, juros na forma de moeda financeira, a conclusão é que ninguém sabe de antemão se é expansionista ou contracionista, pois isso vai depender do que o receptor dos juros vai fazer com esse dinheiro — se vai gastar imediatamente em consumo ou investimento (expansivo) ou se vai reaplicá-lo em títulos públicos (contracionista).

Se o leitor tiver concluído até aqui que tudo isso é muito confuso, esteja certo de que a realidade é muito pior. Por exemplo, por que no sistema bancário brasileiro título de captação no mercado privado rende menos do que os títulos públicos? Não deveria ser o contrário, se eles carregam maior risco? Contudo, esse é outro efeito perverso da moeda financeira, que impede um mercado privado de financiamento do investimento de longo prazo no Brasil. A habilidade do mágico consiste em esconder debaixo de movimentos complexos o movimento real, e simples, das mãos. O extraordinário em nossa complexidade financeira é que ela é completamente camuflada pelos economistas neoliberais ou ortodoxos, não obstante seu caráter absolutamente heterodoxo, que em si mesmo desvirtua as próprias políticas ortodoxas. Nesse contexto, foram admiráveis os movimentos do presidente Lula de contornar a rigidez fiscal de sua equipe para adotar pelo menos algumas iniciativas em favor dos pobres. Fernando Henrique não o fez. Não quis fazê-lo. A vingança dos deuses serão 12 anos seguidos de derrotas eleitorais do PSDB!

Querendo ou não, estamos num mundo de democracia de cidadania ampliada, do qual só escapa o autoritarismo social chinês. Nesse mundo, a economia política da concentração de renda está com seus dias contados. Na verdade, a única coisa que falta para apressar o processo de democratização efetiva das economias — não mais do que a volta aos fundamentos da social-democracia europeia, antes da avalanche neoliberal — é uma atitude crítica menos ideológica das elites intelectuais. Se querem uma referência histórica, tomem Marx: antes de *O capital* — proposta de uma revolução econômica e política e de como seria seu desenvolvimento —, surgiu a crítica da economia política. Em síntese, era uma forma d saber em que águas o mundo navegava para propor um caminho político racional.

Os processos históricos, como se sabe desde Hegel, avançam por vias bipolares, com lutas entre opostos, teses, antíteses e novas teses (sínteses). A confusão política do mundo contemporâneo resulta do vácuo deixado pela Guerra Fria no plano ideológico e político. Esse vácuo foi hegemonicamente ocupado, por um momento, pelo neoliberalismo. Era difícil vislumbrar a emergência de uma antítese, tão sólido parecia ser o sistema do liberalismo econômico (e filosófico) ilimitado. Na verdade, poderia durar séculos, se o que preconizava fosse verdade: a eliminação completa do ciclo econômico e um tempo de prosperidade sem fim, com baixo desemprego.

O que mudou o quadro foi a crise de 2008, que ainda se arrasta. O neoliberalismo perdeu o encanto entre os próprios conservadores. O primeiro-ministro britânico, George Brown, no início de um encontro do G-20 em Londres, chegou a dizer que o neoliberalismo estava morto. Eu próprio, num livro escrito logo depois da eclosão da catástrofe financeira (*A crise da globalização*), sustentei que, como ideologia ordenadora da economia e da sociedade, o neoliberalismo estava liquidado. Continuo acreditando nisso, mas surpreende-me a recomposição das forças neoliberais no plano ideológico e político, mesmo muito antes da superação da crise financeira. A ideologia neoliberal não mais ordena o mundo, mas sobrevive enquanto ideologia: como tal, nunca vai morrer, como não morre, por exemplo, a astrologia!

Em termos reais, no campo da política econômica, o mundo está dividido entre duas correntes, uma, progressista, liderada pela China e com cada vez menos eficácia pelos Estados Unidos de Obama, e outra, regressiva em termos fiscais, liderada principalmente por Alemanha, França e Inglaterra. Obviamente, essas posições não refletem exclusivamente percepções intelectuais, mas são frutos da história: as lideranças democratas norte-americanas e as lideranças nacionalistas chinesas sabem que uma crise social, deslanchada pelo alto desemprego e pela queda de renda do trabalho, seria mortal para ambos os governos no terreno político. Já a Alemanha confia numa política errada que, como a nossa, até há pouco parecia estar dando certo: voltou a exportar agressivamente, ao mesmo tempo em que retirou estímulos fiscais ao mercado interno, e, não obstante, o desemprego caiu. Isso, contudo, mudou a partir de 2010, com a desaceleração.

Como estamos diante de uma quebra geral de paradigmas históricos, o que importa, no momento, não é o passado, mas o futuro: quais são os novos paradigmas que estão se formando no mundo, a partir da economia? Pode a Alemanha continuar sustentando o crescimento de sua economia em exportações? Os dados desde o terceiro trimestre de 2010, constatando uma forte desaceleração do PIB, indicam os limites desse modelo. Por outro lado, os outros países europeus sequer têm a válvula exportadora para ajudar. Se persistem, como aconteceu até aqui, em políticas fiscais e monetárias restritivas e se não têm o mercado interno alemão incentivado como escoadouro, seus mercados internos desabarão e todo o edifício social europeu, antigamente um farol para o mundo, sucumbirá em crise social e política.

Assim, depois de anos e décadas em que gastei quilos de papel e de saliva criticando o imperialismo norte-americano, não tenho agora a menor sombra de dúvida em recomendar aos formuladores de políticas brasileiros e do resto do mundo: alinhem-se, pelo menos quanto ao aspecto fiscal, à política econômica norte-americana comandada pela ala progressista do Partido Democrata contra a Europa. Essa é a nova polarização do mundo, pós-Guerra Fria. A economia política que está por trás dos planos de estímulo norte-americano e chinês é, inequivocamente, em favor inicialmente dos mais vulneráveis pela renda e pelo desemprego, embora também favoreça investimentos no setor privado e na infraestrutura, os quais atendem a interesses igualmente dos ricos. Já a política fiscal-monetária alemã, por ela imposta a si mesma e ao resto da Europa, só favorece aos donos do dinheiro e aos detentores de altas rendas e de propriedade líquida.

Claro, ninguém seria tão ingênuo a ponto de desconsiderar as fissuras internas da política norte-americana que opõem liberais e democratas e a questão ainda mais ampla dos interesses consolidados de Wall Street, muito bem-defendidos pelos republicanos e "neodemocratas". Obama se colocou inicialmente numa posição inviável de realizar um programa bipartidário. Ao contrário disso, e mesmo antes das eleições que o derrotaram na Câmara de Representantes, esbarrou numa oposição feroz do Partido Republicano e de cerca de 60 deputados "neodemocratas", os quais, agindo como os quinta-colunas do Sul que perturbavam o governo progressista de Roosevelt, se aliaram na resistência a políticas sociais (como foi o plano de saúde para pobres) e a políticas de reestruturação financeira progressistas — nesse caso, tendo de fazer concessões a Wall Street. Agora será ainda pior, com a Câmara nas mãos do Partido Republicano turbinado pelo Tea Party.

A situação ideológica e política norte-americana só é menos confusa do que a da Europa e do Brasil, porque a direita, nos países de fronteira civilizatória, não perde tempo em recobrir com ideologias róseas seus interesses de classe. Os ricos norte-americanos não têm vergonha de defender as instituições que garantem sua riqueza. É o caso, por exemplo, do corte de impostos para ricos do governo Bush, que, mesmo na atual crise fiscal, os afortunados e seus asseclas julgam ser correto defender. Assim mesmo, o futuro do governo democrata de Obama não é claro, porque o programa de estímulo fiscal contra o desemprego não funcionou a contento, em grande parte devido aos vazamentos para o exterior do poder de compra dele derivado, como já referido. De qualquer modo, o lado de Obama, para os Estados Unidos e para o mundo, é inequivocamente o lado da retomada da prosperidade com democracia.

No caso brasileiro, alinhar-se ao lado bom da política norte-americana significa, antes de mais nada, promover uma política fiscal ativa e redistributivista, reduzir drasticamente a taxa de juros básica, eliminar a moeda financeira na economia pela extinção de indexação dos títulos públicos pela Selic, adotar regras amplas de controle de capitais e reestruturar o sistema financeiro, de forma a assegurar que também os bancos privados financiem o desenvolvimento. Nesse aspecto, existem dois movimentos sintomáticos. Nos próprios Estados Unidos, o governo decidiu criar um banco de desenvolvimento no estilo do BNDES para financiar a infraestrutura e ajudar os estados em obras públicas. A Inglaterra vai fazer o mesmo. Na Europa continental, o presidente da Comissão Europeia, José Manuel Durão Barroso, sugeriu a criação de um título europeu vinculado a um banco de desenvolvimento para captar recursos a fim de financiar grandes projetos de infraestrutura regional. Considerando que, não faz muito tempo, o FMI ganhou alguma adesão de tucanos internos para que fossem privatizados nossos bancos públicos, transformando o BNDES em banco de investimento, é realmente notável como o mundo está evoluindo por força da crise!

Mas o Brasil pode avançar mais. É fundamental aprofundar a estratégia de integração da América do Sul que nos reforce reciprocamente na busca de um projeto de desenvolvimento comum. Somos um grande mercado para os nossos vizinhos sul-americanos e eles, conjuntamente, são um grande mercado para nossa indústria de serviços e de bens de capital. Além disso, juntos, podemos estabelecer uma política de proteção temporária de nosso mercado interno (art. 24 do GATT), sem ferir as regras da Organização Mundial do Comércio, de forma a enfrentar a violenta avalanche de exportações não só da China, mas também dos Estados Unidos e dos países desenvolvidos, cujos mercados internos foram estreitados pela crise. Convém registrar que Obama colocou como objetivo estratégico dos Estados Unidos dobrar as exportações em cinco anos, enquanto, também na Europa Ocidental e no Japão, programas de ajuste autoimpostos estão empurrando as empresas para o exterior.

A América do Sul tem potencial próprio para alavancar um grande projeto de desenvolvimento integrado, econômico e social, baseado em seus recursos naturais, no desenvolvimento da indústria básica, na integração de cadeias produtivas, na especialização industrial, na dimensão de seus mercados. Para financiar tais empreendimentos, há dinheiro em excesso no mundo, tendo em vista as atuais taxas de juros, que devem prevalecer por muito tempo em níveis baixos em face de uma estagnação que se prevê longa nos países industrializados avançados. Se forem definidos bons projetos, haverá facilidade de financiamento, seja pela via da capitalização, seja por empréstimos. Além disso, estima-se que, até 2014, os fundos soberanos terão acumulado US$ 10 trilhões em ativos, parte dos quais, havendo projetos rentáveis, pode ser facilmente canalizada, inclusive por mediação política, para projetos na América do Sul. Em setembro de 2010, o fundo soberano do Qatar anunciou que investirá US$ 5 bilhões em projetos diversos na Grécia, isso a despeito da fragilidade financeira grega. A China, por sua vez, está comprando parte da dívida pública grega e portuguesa.

Nossas possibilidades materiais são consideráveis, e não é sequer necessário referir-se ao pré-sal. Contudo, como ficou evidente no caso histórico venezuelano, exportar só matérias-primas não é um caminho para o desenvolvimento. O caminho saudável do desenvolvimento econômico e social é o de instrumentalizar, pela política econômica, e notadamente pela política monetária, uma economia política progressista, favorável ao investimento produtivo, que tenha efeitos distributivos, diretos e indiretos, para o conjunto da população. Afinal, estamos numa situação de democracia de cidadania ampliada, que inviabiliza um desenvolvimento direcionado apenas para as elites. Não precisamos reinventar. Precisamos de dar caráter definido a nossas políticas públicas, tornando claro quem ganha e quem perde com elas. A política fiscal tem a vantagem da explicitude: veem-se claramente os ganhadores e os perdedores. A política monetária é elusiva e complexa: nela está situado o núcleo velado da disputa da renda nacional, o lócus escondido da luta de classes contemporânea. A política fiscal se move a partir de demandas subjetivas das famílias respondidas por ações objetivas do Estado; a política monetária se move a partir de demandas objetivas dos mercados e se materializa em ganhos ou perdas subjetivos de empresas e famílias. A interação equilibrada entre uma e outra, na forma de uma política econômica sob o comando da cidadania ampliada, é fundamental para o progresso econômico justo e a paz social. A busca desse equilíbrio no plano material está ao alcance da razão econômica, sendo passo essencial na aventura humana de participação no processo de criação e na construção de uma base física ambientalmente saudável para o desenvolvimento também da espiritualidade e dos valores subjetivos de homens e mulheres.

JCA

PARTE II O fetichismo das matemáticas

ONDE SE CONTA COMO A CRISE DA ECONOMIA NEOLIBERAL COMEÇOU MUITO, MUITO ANTES DE 2008, NUMA GRANDE CRISE TEÓRICA, ELABORADA E ANUNCIADA DESDE 1930 NOS CAFÉS DE VIENA POR UM JOVEM MATEMÁTICO DE ÓCULOS DE AROS REDONDOS E ESPESSOS, QUE AINDA NA MESMA DÉCADA VIRIA A SE CASAR COM UMA MULHER SETE ANOS MAIS VELHA QUE CONHECERA NUM DOS CABARÉS LOCAIS.

Economia é macroeconomia.
Microeconomia é brincar de Lego.[1]

UMA HORA DA MANHÃ. Toca o telefone. Margô, minha mulher, vira para o lado na cama, dá as costas para mim e diz é ele, vai atender da sala, quero dormir. Sonolento, pois tinha sido acordado de sono profundo, já na sala, respondo, já soltando o inglês, *Hullo.* Lá do outro lado a voz de bronze, "*Hullo, Professor Doria, how are you doing?*" Voz de bronze, barítono com toques de baixo, me lembrando alguma gravação antiga de Fyodor Chalyapin em *Boris Godunov.*

---
[1] Entreouvido num departamento europeu de economia.

Alain Lewis

E continuava, tonitruando, *"it's Alain Lewis here"*. Sim, Alain Lewis, o outro Nash.

E a conversa continuava, uma hora, certa vez chegando a uma hora e meia. Discutíamos — vou já explicar tudo — resultados de indecidibilidade e incompletude nas ciências "duras" em geral e agora na economia. Lewis me falava muito de seu teorema de incompletude para a teoria dos jogos, uma versão que em breve seria provada por Marcelo Tsuji, por Newton da Costa, por mim (paciência, logo logo conto tudo). Ele anunciava, vai lhe chegar em breve outro pacote de notas.

E se despedia, sem notar que, se me falava da Califórnia sete, oito da noite, eram duas da madrugada aqui na nossa terra.

E me chegava o pacote, às vezes no dia seguinte, ou dois dias depois, se Lewis resolvia me mandar o material através do Federal Express. Cem, cento e cinquenta páginas de manuscritos em xerox, com esboços e esboços de papers. Economia matemática da pesada; teoremas de indecidibilidade e incompletude, principalmente, pois Lewis interessava-se pelas estruturas básicas da teoria econômica. Uma carta de encaminhamento: a Ken Arrow, Gérard Debreu, Andreu Mas-Collel etc. etc., prêmios Nobel de economia, vários — e eu, perdido ali. Éramos os correspondentes de Alain Lewis.

Tudo acontece em meados de 1991. Os pacotes de Lewis só cessaram em 1994.

Pouco sei da biografia de Alain Lewis. Algo mais moço que eu (nasci em 1945), nasceu em Washington D.C. Vela

Velupillai, que foi muito seu amigo, descreveu-o como uma mistura de Denzel Washington e Harry Belafonte, na aparência física. Negro, cresceu nos guetos pobres de Washington, mas fez um ótimo *high school* e depois, admitido em Georgetown, bacharelou-se em matemática. Muito brilhante, seu doutorado foi em economia, em Harvard. Sua carreira foi irregular, em universidades da Costa Oeste dos Estados Unidos. Carreira pontuada por crises nervosas, que, junto com seu brilho intelectual, justificam-lhe o nome de "o outro Nash".

Seus artigos são difíceis de serem lidos; extremamente matemáticos. Mas seu grande resultado é, sem dúvida, o teorema de incompletude para jogos de Nash (formula-o como um teorema de indecidibilidade; depois explico os dois conceitos). Donde se retira um teorema de incompletude para mercados competitivos, para a teoria de Arrow-Debreu, que agora parafraseio antes de lhe dar a formulação mais precisa:

Num mercado competitivo, os preços de equilíbrio existem, mas em geral são não computáveis.

Tradução: mercados competitivos atingem o equilíbrio. Mas em geral é-nos impossível dizer quando o mercado está, de fato, em equilíbrio.

Marcelo Tsuji

Meses depois me vejo, manhã de terça-feira, no saguão do segundo andar do Departamento de Filosofia da USP, olhando pela janela o campus, meio distraído. É intervalo de um dos seminários de Newton da Costa, o grande lógico matemático. No saguão do segundo andar, fica o cafezinho dos departamentos de filosofia e sociologia e lá estão os alunos de Newton, Roque, economista que fará tese sobre estruturas axiomáticas para a economia, Analice, que se foi num desastre rodoviário estúpido, Décio, cuja tese vai ser nos fundamentos da teoria quântica, Adonai, igualmente interessado em física — e um rapaz japonês, alto, cabelo à escovinha e gestos discretos.

Já o conhecera, dias antes, talvez umas semanas antes. Me procurou depois de um seminário que fiz na física sobre lógica e teoria do caos, e mostrando um resultado que o Newton e eu havíamos obtido. Marcelo Tsuji. Havia sido encaminhado a Newton e a mim por um famoso economista brasileiro, ex-ministro, com quem trabalhava, e tinha pouco mais de 20 anos e ainda não havia completado a graduação em economia.

Sabendo-o muito bom matemático, havia passado ao Marcelo as notas de Alain Lewis sobre a indecidibilidade dos jogos de Nash — a tal impossibilidade de calcularmos os preços de equilíbrio, em geral, nos mercados competitivos. No saguão, Marcelo me chama.

Nos sentamos num banco junto aos janelões de vidro que se abrem sobre o jardim do campus. Me diz uma só frase:

— Professor Doria, estive pensando. Podemos usar seus métodos com o professor Newton para provar o teorema de Lewis sobre jogos de Nash.

Marcelo se referia ao teorema que havíamos provado sobre sistemas caóticos e que Smale assim resumira:

O FETICHISMO DAS MATEMÁTICAS

Caos é indecidível

Dito de modo mais amigável: não existe uma receita algorítmica, um programa de computador que nos permita dizer quando um sistema, descrito por suas equações de movimento, vai exibir um comportamento caótico. Isso vale para qualquer definição sensata que dermos para caos. (Definição sensata: é preciso que existam sistemas caóticos e sistemas não caóticos, de acordo com a definição escolhida. Não pode tudo ser caótico ou nada ser caótico.)

Pensei um pouco — sou meio lento nessas coisas — e percebi o que Tsuji dizia. Tsuji, sempre muito contido, estava no entanto visivelmente agitado, na medida em que se permitia estar agitado, com a ideia que me havia exposto. Porque tínhamos ali um teorema de certo modo muito mais forte que o de Lewis — que obtivera um resultado *ground breaking,* isto é, abrindo todo um novo campo.

Falei com Newton e pedi a Marcelo Tsuji que redigisse o artigo, o que fez. Mas só conseguimos publicá-lo em 1998, e numa revista de lógica, o *Journal of Philosophical Logic*.[2] As revistas de economia só se abriram para nós depois de nosso contato, em 2003, com Vela Velupillai, que desenvolveu a área da economia computacional, basicamente uma aplicação de técnicas de lógica matemática e de teoria da computação à teoria econômica.

Anunciamos o resultado com Tsuji — dando-lhe todo o crédito devido — em diversos artigos publicados entre

---

[2] M. Tsuji, N.C.A. da Costa e F.A. Doria, "The incompleteness of theories of games", *J. Phil, Logic* 27, pp. 553-563 (1998).

1991 e 1998.[3] Mas, ideia muito nova, demorou a ser publicada e digerida, como falei. Pois é um resultado contraintuitivo: vamos ver isso adiante; é quase um paradoxo. Como pode um jogo finito ser incomputável?

Vela Velupillai

Enigma Variations tocando discretamente no sistema de som interno à casa de Vela Velupillai nos arredores de Galway, Irlanda, restos de neve tardia no gramado à volta da casa, o contraste entre as luzes amarelas de dentro da casa, que eu já via pelas janelas, e o anoitecer azulado e muito frio daquele fim de março de 2005, foi assim que adentrei a casa de Vela Velupillai, ao som das *Enigma Variations* de Sir Edward Elgar, que nos haviam aproximado, a Vela e a mim. Quase dez anos antes havíamos publicado um ensaio, Newton da Costa e eu, numa coletânea editada por John Casti e Anders Karlqvist, *Boundaries and Barriers,* sobre os limites das ciências. Reunia as palestras que havíamos feito no encontro de Abisko em 1995, sob o patrocínio da Real Academia de Ciências da Suécia. Nosso ensaio, de Newton e meu, "Variations on an Original Theme," que é também o nome oficial das *Enigma Variations. Et pour cause.*

Éramos quinze pesquisadores, todos dos EUA e da Europa — e eu como exceção, chegado cá de baixo. Abisko fica a duzentas milhas ao norte do Círculo Polar Ártico, junto a um

---
[3] Por exemplo, em N.C.A. da Costa e F.A. Doria, "Gödel incompleteness in analysis, with an application to the forecasting problem in the social sciences", *Phil, Naturalis* 31, pp. 1-24 (1994).

lago de nome sami, o Torneträsk. Todo gelado, dando para caminhar até seu centro sobre o gelo (fiz isso, quase). Neve cobrindo tudo; e era maio, e não tínhamos noite, quase, quase dia perene. Neve, lago gelado, dia eternizando-se, e ciência nos limites. Daquela reunião ficou o livro.

(A região do Torneträsk é, aliás, a região onde filmaram *The Empire Strikes Back,* pelo que me contaram em Abisko. E tem um quê de extraplanetária, sim, aquela paisagem branca, ultragelada, silenciosíssima.)

Vela leu o ensaio, nos aproximamos, descobrimos outro interesse em comum, a música, e fui convidado para o workshop de Galway, num castelinho na periferia da cidade, no meio de gramados irlandeses verdíssimos naquela primavera hesitante embora; dei um curso sobre — o tema é horrendo, reconheço, mas como tudo que tenho anunciado aqui, logo logo explico — técnicas da metamatemática aplicáveis às ciências. (O título do ensaio que daí resultou, "Computing the future," é certamente mais fácil de se compreender, apesar de tal título ser apenas, e quase que só, um aperitivo, *hors d'oeuvre*.)[4]

Vela Velupillai inaugurou a área da economia computacional: foi o primeiro pesquisador a perguntar, sistematicamente, o que podemos calcular em economia. É esse, aliás, o título de seu livro de 2001, *Computable Economics,* no qual esboça as linhas gerais e objetivo desse campo. Em resumo, dada a teoria econômica corrente, o que

---

[4] N.C.A. da Costa e F.A. Doria, "Computing the future," em K.V. Velupillai (ed.), *Computability, Complexity, and Constructivity in Economic Analysis,* Blackwell (2005).

pode ser de fato computado, calculado, considerando-se os seus modelos teóricos?[5]

Muito pouco, Vela nos diz. Nesse contexto encontram-se os teoremas de Lewis, e de Tsuji, com Newton e comigo.

O ensaio que se segue explica tais ideias. Em detalhe, mas de forma amigável.

O colapso neoliberal

As bases da teoria econômica neoclássica, sustentáculo da doutrina neoliberal, colapsaram com a crise financeira global do capitalismo a partir de 2008. Entretanto, as bases conceituais da economia neoliberal tinham colapsado bem antes, sob o ataque indefensável das matemáticas. Só que, na época, ninguém prestou atenção ao que estava acontecendo: afinal, Mrs. Thatcher, na Inglaterra, e Ronald Reagan, nos Estados Unidos, eram poderosos, inatingíveis, inalcançáveis...

Segue-se a história (e a teoria) desse colapso inesperado: o que aqui vemos como o colapso das bases da teoria econômica neoliberal. O caminho é longo, pois ao percorrê-lo vamos incorporando a nosso acervo teórico muitos conceitos que surgiram no século XX no desenvolvimento da lógica matemática e na teoria da computação. No final, economistas reconhecem algo familiar, o teorema de Arrow-Debreu, que nos garante (ou tenta garantir) que para mercados competitivos os preços de equilíbrio sempre existem. Daí passamos ao resultado de Tsuji.

---

[5] K.V. Velupillai, *Computable Economics*, Oxford (2000).

O FETICHISMO DAS MATEMÁTICAS

No meio, alguns momentos de descanso, por exemplo quando se fala, como numa conversa de cafezinho, sobre as máquinas do tempo a respeito das quais Gödel teorizou. Uma horazinha do recreio para o leitor que curte ficção científica e ciência mais ousada que a ficção científica.

1. GÖDEL E TURING

PRINCETON NJ, 1951 OU 1952, uma de suas ruas principais. No meio da rua, caminhando juntos, um casal improbabilíssimo. Vistos de costas, estava, de um lado, um homem de estatura mediana, cabelos cuidadosamente assentados com brilhantina, óculos redondos de aros grossos e escuros, vestido com um terno jaquetão — um advogado? Acompanhando-o, uma velha mendiga, enorme, desajeitada, roupa troncha, descabelada, notavelmente mais alta que seu companheiro, o advogado. Uma mendiga enorme e um advogado formalíssimo. Andavam juntos, pelo meio da rua, sem se incomodarem com os carros à sua volta.

O advogado: o maior lógico do século XX, Kurt Gödel. A velha descabelada: o maior dos físicos do mesmo século XX, Albert Einstein. Se alguém os atropelasse e matasse, ficaria famoso por haver liquidado com os criadores de boa parte da ciência do século XX e dos começos do XXI.[1] Devemos a Einstein as duas relatividades, a relatividade restrita, de 1905, e a geral, que é uma teoria da gravitação que se estende à cosmologia, à teoria do universo inteiro, publicada essa em 1915. E mais: devemos a

---

[1] Esse relato, devo-o a Greg Chaitin.

Einstein o ter descoberto um dos fenômenos mais intrigantes da mecânica quântica, o paradoxo EPR — de Einstein, Boris Podolsky e Nathan Rosen, autores do artigo de 1935 no qual se conjectura sobre tal fenômeno (dele, Einstein descria, mas Alain Aspect verificou-o em 1981 e Anton Zeilinger, de Viena, explora-o hoje em dia ferozmente. O que nos diz? Talvez o espaço e o tempo sejam, na verdade, ilusórios...).

Da dupla, talvez fosse Gödel o criador mais abstrato. Seu famosíssimo trabalho de 1931, "Sobre sentenças formalmente indecidíveis do *Principia Mathematica* e sistemas relacionados," contém os seus dois teoremas da incompletude, que vamos rapidamente explicar aqui e vê-los afetando a teoria econômica. Mas nesse mesmo artigo, Gödel desenvolve o que hoje chamamos de teoria das funções recursivas primitivas, na qual se acha um dos pontos de partida da moderna teoria da programação.

E Gödel não ficou só nisso: num trabalho de 1948, dedicado a seu amigo Einstein, mostra que há universos — modelos possíveis para o universo — em que máquinas do tempo são teoricamente possíveis e em que o tempo é um fenômeno local, isto é, não faz sentido perguntarmos sobre o princípio e o fim dos tempos, já que em tais universos não há uma seta universal dirigindo-se do passado ao futuro. Mas não vamos falar de Einstein e de seus universos e do espaço e do tempo aqui (bem, vamos falar um pouquinho), e sim das consequências para a teoria econômica das dificuldades temíveis que Gödel revelou nas matemáticas. Assim mesmo, no plural.

Porque — horror! — uma das consequências de seus teoremas é que existem infinitas matemáticas, umas diversas das outras.

Kurt Gödel

Kurt Gödel nasceu em 28 de abril de 1906 em Brno, na Morávia, numa família cuja língua era o alemão, de classe média e de religião protestante. Estudou em Viena, onde se doutorou em matemática em 1930 e obteve seus famosos teoremas de incompletude em 1931.

Tornou-se instantaneamente uma celebridade, pois seus resultados praticamente acabavam com o "programa de Hilbert", ou seja, com a tentativa de se fundar a matemática e mostrá-la sem inconsistências dentro dela própria — de acordo com critérios explicitados por David Hilbert (1862-1943), então provavelmente o maior matemático vivo.

Entre 1935 e 1937, Gödel trabalhou no chamado "problema do *continuum* de Cantor" e mostrou que, se os axiomas da teoria dos conjuntos são consistentes, então continuam consistentes se lhes juntamos a hipótese do *continuum* de Cantor e o axioma da escolha (mais a respeito no que se segue). Vivia em Viena, mas com o *Anschluss* (união da Áustria com a Alemanha nazista), decidiu abandonar a Europa, o que fez em fins de 1939, desembarcando nos Estados Unidos, na Costa Oeste, em março de 1940. Foi logo contratado pelo Instituto de Estudos Avançados (IAS) de Princeton e lá se fixou; foi onde morreu, em 14 de janeiro de 1978.

Seu maior amigo sempre foi Albert Einstein, e para homenageá-lo Gödel realizou sua única incursão fora do âmbito da lógica matemática e descobriu uma solução — um modelo cosmológico, um modelo para o universo — em que existem máquinas do tempo e no qual não se pode falar numa seta do tempo global (já explicamos isso).

Os resultados de Gödel

Foram três, como dissemos, os resultados principais de Gödel:

- Os teoremas de incompletude para a aritmética, de 1931.
- A prova da consistência da hipótese do *continuum* de Cantor e do axioma da escolha, com os axiomas da teoria dos conjuntos (1935-1937).
- Os universos de Gödel, com seu tempo muito peculiar (1949).

No princípio

Tudo começou no século IV a.C. em Alexandria, com Euclides. Euclides, nos *Elementos*, organiza a geometria a partir de princípios, restrições (condições ou determinações), que geram os resultados conhecidos da geometria elementar plana e sólida (ou espacial) usando-se uma argumentação lógica para deduzirmos fatos geométricos a partir daqueles princípios.

Tal método de exposição, podemos esquematizá-lo assim:

- Começamos com noções e conceitos primitivos e restrições *(aitémata*, postulados, literalmente "condições") sobre tais conceitos.
- Utilizamos uma argumentação lógica.
- Usando como mecanismo a argumentação lógica (as "rodinhas dentadas" que carregam a argumentação, como se num processo estritamente mecânico) e manipulando com a lógica os conceitos primitivos, chegamos a resultados derivados, os teoremas da geometria.

Esse é o método axiomático.

Que pode também ser representado com imagens bem concretas, aliás: a argumentação lógica é como uma máquina. Alimentamos essa máquina com os conceitos e noções primitivos. E a máquina nos produz as verdades da geometria.

Surpreendentemente levou muito tempo para que reconhecêssemos, no método axiomático, a técnica mais segura de que dispomos para a geração de conhecimento a respeito dos objetos da matemática. Giuseppe Peano (1858-1932) formulou seu sistema de axiomas para a aritmética no último quartel do século XIX. Em 1908 Ernst Zermelo (1871-1953) axiomatizou a teoria dos conjuntos e, como podemos deduzir, na teoria dos conjuntos, todos os resultados conhecidos da matemática.[2] Os axiomas de Zermelo, mais tarde (em 1922) modificados e tornados mais precisos por Abraham Fraenkel (1891-1965), servem

---

[2] Excetuando-se os que exijam conjuntos muito grandes — os chamados "cardinais fortemente inacessíveis" — ou certas funções programáveis, mas de crescimento muito rápido.

para axiomatizarmos a matemática "feijão com arroz", a matemática do dia a dia do matemático.

Mas o que é essa matemática "feijão com arroz"? É a matemática usada por engenheiros, economistas, ecólogos e biólogos matemáticos. É a matemática do século XIX e em boa parte aquela do século XX, excluídas teorias que usem conjuntos muito grandes (no sentido da teoria axiomática dos conjuntos), os números que recebem o nome de "cardinais fortemente inacessíveis" e objetos monstruosos similares.

O Programa de Hilbert

Com a axiomatização de várias teorias importantes, e sobretudo com a axiomatização da teoria dos conjuntos através do sistema de Zermelo-Fraenkel, muito havíamos avançado no sentido de se formalizar — de se tratar com rigor adequado — a matemática. Mas, ao mesmo tempo, descobriam-se paradoxos que levantavam dúvidas sobre a consistência daquela mesma matemática sendo formalizada. Como o Paradoxo de Russell, que pode ser expresso numa fabulazinha:

> *Naquela cidade os homens se dividem em dois grupos: os que se barbeiam a si mesmos e os que se barbeiam com o barbeiro. Mas a que grupo pertence o barbeiro?*
>
> *O barbeiro se barbeia a si mesmo. Logo pertence ao grupo dos que se barbeiam a si mesmos. Mas se ele se barbeia a si mesmo, barbeia-se consigo, isto é, com o barbeiro.*

O FETICHISMO DAS MATEMÁTICAS

Como ficamos?

Esse paradoxo pode ser expresso formalmente:

$$x \in x \leftrightarrow x \notin x$$

Traduzindo: x está em si mesmo se e somente se x não estiver em si mesmo!

Um sistema de axiomas aceitável não pode permitir afirmativas contraditórias como essa, porque se sabe que, seguindo-se as regras de dedução da lógica clássica, de uma contradição deduzimos qualquer coisa. Diz-se que o sistema colapsa. Logo, nos sistemas em que a forma de argumentar baseia-se na lógica clássica, é preciso evitarmos contradições.[3]

Como garantir que a matemática está livre de contradições? E que prova todas as verdades matemáticas? David Hilbert (1862-1943) formulou, nos anos 20 do século findo, um programa de investigação dos fundamentos da matemática onde se buscava:

- *Consistência.* A matemática não pode conter contradições.
- *Completude.* A matemática deve provar todas as suas verdades.
- *Procedimento de decisão.* A matemática precisa ter um procedimento, digamos, mecânico, permitin-

---

[3] Há infinidades de sistemas dedutivos, ditos não clássicos, nas quais podemos ter contradições, como é o caso das lógicas paraconsistentes de Newton da Costa.

do-nos distinguir sentenças matemáticas verdadeiras das falsas.

Os resultados de Gödel de 1931 explodiram o Programa de Hilbert.

Os teoremas de incompletude de Gödel

É divertido ler os títulos de artigos científicos: são longos, rebarbativos, incompreensíveis. Como se antes desejassem esconder sua mensagem do que revelá-la, explicitá-la, esclarecê-la, dizê-la em resumo. Em 1931 Kurt Gödel, recém-doutorado em matemática na Universidade de Viena, publica numa revista algo obscura, alemã, um artigo de título incompreensível para o leigo: "Sobre sentenças formalmente indecidíveis dos *Principia Mathematica* e sistemas relacionados."[4] Nesse artigo, Gödel prova dois resultados que já se descrevem: suponhamos que S seja um sistema de axiomas no qual possamos descrever as operações aritméticas usuais (soma, produto, igualdade, comparação — maior e menor). Suponhamos que os teoremas de S possam ser listados por meio de algum programa de computador. Suponhamos, enfim, que S não demonstra fatos falsos. Então:

---

[4] K. Gödel, "Über formal unentscheidbare Sätze der *Principia Mathematica* und verwandter Systeme I", *Monatshefte fur Mathematik und Physik* 38, pp. 173-198 (1931). A parte II nunca foi publicada.

1. Se S é consistente, então será também incompleto, ou seja, vai existir uma sentença ξ tal que S nem prova nem desprova ξ — não prova nem ξ nem sua negação, não ξ.

2. Se S é consistente, então existe uma sentença Con(S) que expressa de modo bastante intuitivo a consistência de S, mas o sistema S nem prova Con(S) nem prova sua negação, não Con(S).

O segundo resultado pode ser visto como um caso particular, notável, do primeiro.

Em resumo resumíssimo, eis aqui (com muitas liberdades...) a prova do primeiro teorema de incompletude:

- Gödel mostra que há uma sentença formal em S, ζ, cujo significado intuitivo é "eu, ζ, não posso ser demonstrada".
- Suponha que S demonstre ζ. Então demonstraria um fato falso, o que não pode ocorrer.
- Pela mesma razão, S não pode demonstrar não ζ.
- Logo, ζ é uma sentença indecidível, pois não pode nem ser demonstrada nem ser desprovada.

É fácil dar exemplos de outras sentenças indecidíveis e menos artificiosas do que o exemplo original de Gödel. Por exemplo, em 1944 o lógico Emil Post (1897-1954) deu um exemplo de indecidibilidade que, na linguagem de hoje, se traduz no seguinte:

- Se *S* é consistente, então existe um programa de computador *P* tal que, se lhe damos os dados *a*, a sentença "*P*, tendo como input os dados *a*, entra num loop infinito e *P* não para nunca" é verdadeira, mas *S* nem demonstra tal sentença nem demonstra sua negação.

(Nalguns exemplos podemos associar esse *a* a uma sentença indecidível numa teoria *S* consistente.)

Esse exemplo de Post serve para mostrarmos como se relacionam os dois conceitos centrais com os quais vamos lidar aqui, a *indecidibilidade*, ou seja, a inexistência de um algoritmo, de um programa de computador, que resolva determinado problema, e a *incompletude*, que é a existência de uma sentença formal α na teoria *S*, tal que nem α nem não α podem ser demonstradas em *S*, se *S* for consistente.

O segundo teorema de incompletude de Gödel

Para que se possa compreender um esboço da prova do segundo teorema de incompletude, aquele no qual se afirma que se o sistema *S* é consistente, então não podemos provar uma sentença que lhe afirma a consistência a partir dos axiomas de *S*, é necessário compreendermos melhor como se constrói a sentença indecidível ζ.

S baseia-se numa linguagem formal. Gödel então mostra que, à maneira quase de uma gematria cabalística renovada, podemos codificar através de números todas as sentenças formais de *S*. Assim, cada sentença formal de *S* recebe um número inteiro positivo que é calculado usando-se um procedimento similar a um programa de computador e que tem o nome de número de Gödel da sentença.

Há, na verdade, muitas numerações de Gödel possíveis. Uma delas, a mais simples, é a seguinte:

- Considere todas as sentenças de zero letras (o espaço vazio).
- Considere todas as sentenças de uma letra; então, ordene-as alfabeticamente.
- Considere todas as de duas letras; ordene-as alfabeticamente.
- ...

Dada essa listagem, numeramos então consecutivamente as sentenças assim organizadas. Gödel mostra que — usando outro procedimento de numeração — todo o mecanismo da argumentação lógica pode ser representado através de operações aritméticas sobre os números inteiros que representam as sentenças da linguagem formal da teoria S.

Por sua vez, provas matemáticas em S são coleções, listas de sentenças formais, começando nos axiomas de S e terminando na sentença que se está demonstrando. Sendo listagens de sentenças, podemos igualmente codificá-las através de algum número inteiro positivo, e isso pode ser feito de tal maneira que possamos distinguir, com a ajuda de um programa de computador, os números que representam provas matemáticas. Assim sendo, pode-se escrever a sentença:

ξ (α) = "não existe qualquer inteiro positivo *n* que codifique a prova, em *S*, da sentença α."

Em vez de α, coloquemos a própria ξ:

ξ (ξ) = "não existe qualquer inteiro positivo *n* que codifique a prova, em *S*, da sentença ξ."

Ou seja, ξ significa: eu não posso ser demonstrada.

Agora: Con(*S*) afirma que existe uma sentença em *S* que não pode ser demonstrada. Logo — dando-se alguns saltos técnicos — deve-se deixar claro; Con(*S*) é equivalente a ξ, de modo que demonstrar o primeiro teorema de incompletude leva, de certo modo, quase direto à prova do segundo teorema de incompletude.

Uma pergunta: pode-se demonstrar a consistência de teorias como *S*? Pode-se, mas usando recursos que as ultrapassam. Vamos dar já um exemplo disso.

Abstrato? Concreto?

O que é impressionante é que tudo isso tem repercussões diretas em resultados centrais à teoria econômica. Nada é tão abstrato que não importe para nosso dia a dia. E, afinal, pode-se dizer que o mundo dos computadores nasceu nos trabalhos muito abstratos, publicados entre 1930 e 1945, de lógicos matemáticos como Gödel, Turing, Church, Post, entre outros.

Nada existe de tão abstrato e etéreo que não possa ganhar uma surpreendente encarnação, muito chã, terra a terra, em nosso quotidiano. O abstrato é ilusão; o mundo das ideias é concreto.

Outra prova do primeiro teorema de incompletude

Stephen Cole Kleene (1909-1994), lógico americano, deu em 1936, ao fim de um trabalho no qual se delineiam algumas das linhas básicas da teoria da computação,[5] uma prova surpreendente e nova, na sua concepção, para o primeiro teorema de incompletude. Com repercussões diretas na teoria da computação.

Vamos esboçá-la, a essa prova, agora.

Um conceito inicial:

- Uma função computável total é uma função sem bugs, isto é, uma função que tem valores para quaisquer dados de entrada e que é programável — pode ser descrita com um programa de computador.
- Uma função f computável provadamente total na teoria S é uma função que S demonstra ser total, sem bugs. Ou seja, S prova a versão formal da sentença "f é computável e total".

Procedemos assim:

---

[5] S.C. Kleene, "General recursive functions of the natural numbers", *Math. Ann* 112, pp. 727-742 (1936).

- Listamos, com um programa de computador, todos os teoremas de S, o que pode ser feito, por hipótese.
- Separamos os que dizem "a função f_e é computável e total".
- Vamos fazendo em separado uma listagem dessas funções, $f_0, f_1, f_2...$

A listagem, com os valores das funções, fica assim:

$f_0(0), f_0(1), f_0(2), f_0(3),...$
$f_1(0), f_1(1), f_1(2), f_1(3),...$
$f_2(0), f_2(1), f_2(2), f_2(3),...$
$f_3(0), f_3(1), f_3(2), f_3(3),...$
...

Agora definamos uma função F:

$F(0) = f_0(0) + 1.$
$F(1) = f_1(1) + 1.$
$F(2) = f_2(2) + 1.$
...

Essa função F é diferente de f_0 no primeiro valor, de f_1 no segundo valor e assim em diante. Logo, não está na nossa listagem dos f_i. E, no entanto, é uma função obviamente computável e total.

Por que é diferente? Notemos:

$F(0) = f_0(0) + 1 f_0(0).$
$F(1) = f_1(1) + 1 \neq f_1(1).$

$F(2) = f_2(2) + 1 \neq f_2(2)$.

...

Por que é total? Porque sabemos como calcular cada $f_i(i)$. Logo, *há funções computáveis e totais que não o são na teoria S!*

Donde:

- Se S é consistente, então S não prova "a função F é computável e total".
- Se S é consistente, não prova a negação da sentença "a função F é computável e total".

(O segundo resultado vem da condição imposta a S: S não prova fatos falsos, pois F é claramente computável e total.)

Consequências da prova de Kleene: uma prova da consistência de S

A prova que vamos esboçar funciona bem para a aritmética de Peano (abreviada PA). Para teorias mais complexas, é mais delicada a argumentação.
Demonstra-se, em PA, que:

[F é total] → Con(PA).

(É uma prova relativamente simples; basta fazer algumas contas.) Ora, em PA, se lhe juntamos o axioma extra

[F é total], estamos juntando um fato intuitivamente verdadeiro, o que não afeta a consistência de PA. Logo, podemos deduzir, nessa teoria estendida, Con(PA).

Ou seja, com um axioma extra, que reforça PA, provamos a consistência da aritmética de Peano.[6]

Mais consequências

Mesmo sistemas axiomáticos muito fortes, como é o caso do sistema de Zermelo-Fraenkel para a teoria dos conjuntos, acabam ficando cegos para certos resultados em teoria da computação. Por exemplo:

- Lembre-se que todo programa de computador funciona discreto, isto é, funciona em etapas — faz uma coisa, depois outra, depois outra.
- Podemos acoplar a um programa de computador, como uma sub-rotina, um programa-relógio, que vai contando as etapas executadas e que interrompe a execução do primeiro programa depois de certo número de etapas.
- Tais programas são chamados de programas limitados por um relógio. Ultrapassamos certo número de etapas, o relógio corta a operação.
- É fácil construir uma família de tais programas limitados, na qual vemos, intuitivamente, que toda a

---

[6] Esse argumento é, em essência, equivalente ao argumento, muito mais extenso, de Gentzen, publicado em 1936: G. Gentzen, "Die Widerspruchsfreiheit der reinen Zahlentheorie", *Math. Ann.* 112, pp. 493-565 (1936).

família, embora conte com um número infinito de programas, constitui-se de programas limitados.
- Mas se denotarmos como F tal família, a sentença (em sua versão formalizada) "a família F é limitada" é independente dos axiomas de Zermelo-Fraenkel se esses forem consistentes!
- Ou seja, mesmo uma teoria axiomática muito forte não vê o que é intuitivamente verdadeiro!
- O truque? O uso esperto da função F de Kleene na construção de F.

Há outros resultados análogos, com repercussões diretas na teoria econômica, que vamos apresentar mais adiante.

De Gödel a Turing

O fenômeno que Gödel explicitou, a incompletude da aritmética, está relacionado, como vamos mostrar, a um outro, a indecidibilidade, que foi descoberto por Alonzo Church (1903-1995), lógico americano, e por Alan Turing (1912-1954), matemático inglês. Vamos expô-lo seguindo o caminho desenvolvido por Turing, mais intuitivo.

Um *procedimento de decisão* é um programa de computador P tal que se damos um conjunto E de números inteiros positivos, para um inteiro arbitrário x, P nos diz se x está em E ou não (por exemplo, $P(x) = 1$ significa: x está em E e $P(x) = 0$, x não está em E).

Um procedimento de decisão nos diz se x está em E ou não, e esse dizer se faz com a ajuda de um programa de computador. Pois Church e Turing mostraram que há problemas de decisão insolúveis, ou seja, não há programa de computador que os resolva.

Mostramos em seguida o exemplo de Turing, numa versão simplificada para o argumento. Mas antes de fazê-lo, precisamos explicar: o que é um programa de computador?

Programas de computador

O texto que se segue foi baseado no livro do autor, *Comunicação*.[7]

Começamos com o conceito de programa de computador. Em síntese, um programa de computador é, essencialmente, um procedimento mecânico de cálculo.

Mas o que é uma "receita" ou um "procedimento mecanizado"? Turing vai responder a essa pergunta em seu trabalho de 1936 sobre o problema da decisão.[8] É o trabalho no qual aprendemos o que é uma *máquina matemática*[9] e de onde leremos mais tarde, no conceito de máquina de Turing, aquele outro, desenvolvido nos anos 1960, de *sistema de programação* — isso mesmo, sistema de programação para computadores.

---

[7] F.A. Doria e P. Doria, *Comunicação: dos fundamentos à internet*, Revan (1999).
[8] A. Turing, "On computable numbers, with an application to the Entscheidungsproblem", *Proc. London Math. Society* 42, ser. 2, pp. 230-265 (1936).
[9] Mais especificamente, o que corresponde às nossas ideias para as máquinas matemáticas *digitais*. Computadores analógicos são também máquinas matemáticas, mas de outra natureza, e num certo sentido mais poderosos do que os computadores digitais.

O FETICHISMO DAS MATEMÁTICAS

Durante a Segunda Guerra Mundial, Turing serve ao Exército inglês como criptógrafo. Descobre então como decodificar as mensagens enviadas sob cifra pelos alemães com a ajuda da famosa máquina *Enigma*. Turing e sua equipe tornam-se heróis de guerra, como resultado desse seu trabalho. (E os alemães, acreditando que fosse impossível quebrar a chave da *Enigma*, executam como traidores vários membros de sua equipe de criptógrafos.)

No fim da vida de Turing, uma tragédia: Turing era homossexual e confessa-o ingenuamente a um policial que havia batido na porta de sua casa. Processado com base nalguma lei antissodomia (estiveram em vigor na Inglaterra até 1975), seus acusadores reconhecem-lhe como atenuante a condição de herói de guerra e condenam-no apenas — apenas! — a ser medicado com hormônios femininos para lhe diminuir a libido, procedimento que lhe deforma todo o corpo — e Turing era até então um homem fisicamente muito bonito.[10] Assim agredido, Turing prefere se matar comendo uma maçã embebida em cianeto, em 1954.

Morte à Walt Disney, morte de Branca de Neve.

E também morte tão estúpida e desnecessária quanto o foram as mortes de Arquimedes (que um soldado romano, num gesto momentâneo de irritação, decapitou) ou a do músico Anton von Webern, assassinado por um soldado americano *trigger happy*, ao fim da guerra de 1939-45.

---

[10] Sobre a homossexualidade como crime, ver E. Roudinesco, *A parte obscura de nós mesmos: uma história de perversos*, Zahar (2008), capítulo final (sugestão de S.D. Levy).

Computadores e o jargão de sua teoria

Quem estiver lendo este livro terá, com certeza, familiaridade com computadores. No que se segue vamos falar de computadores, cálculos, programas, algoritmos; mas é necessário aproximar nossa linguagem do que é conhecido pelo usuário de computadores que, em geral, não está interessado nos detalhes técnicos e teóricos de seu funcionamento.

- Programa, algoritmo, procedimento de cálculo, é tudo a mesma coisa. Teoricamente são representados por objetos abstrusos, como as funções recursivas gerais ou λ-cálculo. Mas ninguém precisa se preocupar com tais monstrinhos: aqui falamos brevemente de um deles, mais amigável, as máquinas de Turing.

Em resumo: máquina de Turing é um nome erudito para programa de computador.

- Um programa age sobre dados de entrada. Exemplo concreto: você abre o Photoshop em cima de uma foto que você quer retocar. O Photoshop é também um programa, em nosso sentido. A foto a ser processada, os dados de entrada.

O que você obtém, a imagem reprocessada: os dados de saída do programa. Nova operação começa se você resolve corrigir ainda um risquinho na foto. Os movimentos do mouse, ou o dedilhar que você faz no trackpad, são também dados de entrada. Para mim, usuário do programa, desenho uma linha contínua no trackpad. Mas o meu MacBook lê essa linha na forma de uma sucessão de bits, uma sequência de 0s e 1s. Como vamos escrever adiante, são os dados de entrada *y* para o programa ou máquina de Turing *x* — no caso, o Photoshop.

Que é fazer um cálculo?

Passemos por cima da tragédia final e voltemos aos anos 1930. A teoria da programação nasce com Turing; nasce no seu artigo de 1936 já citado. A ideia é simples: Turing define com rigor o que seja o ato de fazer uma conta e ajuda nossa intuição a respeito ao imaginar mecanismos que realizam de modo mais concreto tal conceito. Esses mecanismos são as *máquinas de Turing*.

Dito de outro modo, Turing analisa em detalhe o que é um *procedimento de cálculo*. Para guiar sua análise, ajuda-se com uma metáfora, as *máquinas matemáticas*. O rigor é pleno, mas as ideias são muito intuitivas e nascem de uma pergunta muito simples: como é que a gente calcula? Como é que a gente faz uma conta?

Você se senta à mesa para calcular seu saldo bancário. À sua volta, o extrato de conta mais recente, o extrato anterior, comprovantes de depósitos, comprovantes de saques em caixas automáticos, canhotos de cheques. E, também, algumas folhas de papel em branco e uma caneta. Você sabe como proceder:

- Primeiro, você soma tudo o que recebeu: salários, depósitos avulsos, pagamentos extras, aquele estorno de um débito errado que o banco havia feito. E você obtém um total: MEUS GANHOS.
- Depois, você soma tudo que saiu da sua conta: débitos automáticos (inclusive o débito feito erradamente pelo banco, já que na outra soma você botou o estorno), juros, as retiradas no caixa, os cheques pagos e aqueles ainda a pagar. Você chega a outro total: MEUS GASTOS.
- Você pega o saldo anterior, SALDO ANTERIOR, soma-o a MEUS GANHOS e dali abate MEUS GASTOS. O resultado é o NOVO SALDO.

Veja se essas suas contas, e mais quaisquer outras contas, não podem ser sumarizadas da seguinte maneira:

1. *Os dados iniciais.* Você parte de um conjunto finito de dados iniciais. Isso quer dizer que você tem, no início da conta, à sua disposição, um número finito de sinais a serem manipulados no cálculo.

2. *O programa.* Você também dispõe de "regras de cálculo" — do que é, em essência, um programa. Você sabe como proceder e, se necessário, você pode escrever essas regras de cálculo, suas instruções. Obtendo um outro conjunto finito de sinais.

3. *A memória.* Você deve precisar de uma memória, espécie de espaço de reserva para resultados subsidiários

(somas parciais, algum cálculo de juros extraordinários). Tais resultados são obtidos à medida que você vai fazendo sua conta. Obviamente, a memória total que você gasta nesse seu cálculo é sempre finita: é um espaço finito a ser ocupado por um conjunto finito de sinais (mas um espaço potencialmente tão grande quanto você precisar). Para quem está habituado com computadores: essa memória se concretiza na memória RAM do computador.

4. *O cálculo chega a alguma conclusão.* Pode até acontecer, mas espera-se que você não fique fazendo contas indefinidamente, sem nunca chegar a algum resultado. Espera-se que você conclua alguma coisa. Nesse caso, seu tempo de cálculo é finito.[11]

5. *O resultado.* O resultado de suas contas é sempre expresso num número finito de sinais.

6. *O procedimento é determinístico.* Nos seus cálculos, não há lugar para o acaso. Você jamais tirará a sorte para saber, num determinado momento, o que você deve fazer em seguida; está tudo prescrito nas suas regras de cálculo, em seu programa.

---

[11] Há cálculos que nunca terminam: por exemplo, quando você divide 20 por 3 — você chega a uma dízima periódica — ou quando você calcula a raiz quadrada de 2, que é um número irracional. Nesses exemplos, você, no entanto, sempre sabe que a conta nunca vai terminar. Será que diante de um cálculo arbitrário e muito complicado você sempre pode antecipar se a conta termina ou não? Tal problema se chama o *problema da parada*.

Máquinas de Turing

Máquinas de Turing formalizam essa nossa descrição intuitiva para um cálculo. O modelo mais simples de máquina de Turing parte da seguinte intuição:

- Pense numa fita infinita nos dois sentidos, dividida em quadrados. A fita pode não conter nada além dos quadrados, ou pode ser que encontremos, num número finito de quadrados, um zero ou um número um, 0 ou 1.
- Sobre um dos quadrados, você imagina colocada uma cabeça de leitura. Essa cabeça executa as seguintes operações:

— Lê o que está escrito no quadrado (ou não tem nada ou tem um 0 ou 1 escrito).

— Compara o que está escrito ao seu "estado interno". Toda máquina de Turing possui um número finito de "estados internos": esses são o arranjo momentâneo dos mecanismos de cálculo da cabeça da máquina.

— A combinação do que está escrito no quadrado junto com o estado interno faz com que a cabeça aja. A cabeça pode escrever um novo sinal no quadrado ou manter o que está escrito; mover-se um quadrado à direita ou à esquerda; e passar a um novo "estado interno".

Não se preocupe com o mecanismo interno da cabeça de leitura; veja que tem muito jeito de se montar uma cabeça como a que Turing imaginou para a sua máquina.

Avançando no que se vai descrever em detalhe mais adiante, observemos que as máquinas de Turing são o modelo ideal cujas concretizações e instanciações na realidade quotidiana são os computadores — dos grandes *mainframes* de há alguns anos às máquinas vetoriais de hoje em dia e, diminuindo-se a capacidade da máquina, aos microcomputadores pessoais que utilizamos.

O *problema da parada*

Se você trabalha com um programa muito complicado, sabe que o programa pode *dar pau* em situações meio esquisitas, isto é, quando você dá comandos inabituais. "Dar pau" significa: o programa entra, ou parece entrar, num *loop* infinito, e o sistema operacional aborta a sua execução (e pode travar a máquina). Daí a pergunta:

Será que existe um programa, que associaríamos ao sistema operacional, capaz de "testar" o código do programa complexo sendo executado junto ao código dos comandos que a gente der e que nos avise sobre *loops* infinitos?

Não, não existe. Veja por que logo em seguida.

Há todo um folclore a respeito da história do problema da parada (*halting problem*, em inglês). E de sua solução — ou melhor, de como se obtem a prova da impossibilidade de resolvê-lo, para programas e dados de entrada arbitrários.

Computadores foram desenvolvidos a partir dos anos 1940, desde que John von Neumann montou seu protótipo no Instituto de Estudos Avançados de Princeton. Nos anos 1950, quem se interessava por aquelas máquinas ainda gigantescas (ocupavam salas e salas muito extensas com um equipamento quase de ficção científica), coisa exótica, portanto, e chamadas de *cérebros eletrônicos*, costumava trabalhar nos departamentos universitários norte-americanos de engenharia elétrica.

Logo se percebeu, na prática, a existência de *loops* infinitos, entre as muitas situações que levavam um computador a "dar pau" ou a fazer um *crash*.

Conta-se então a seguinte anedota:[12] uma vez, no começo da década de 1950, na lanchonete de uma grande universidade norte-americana do Meio-Oeste, um grupo de engenheiros discutia, em cima de *donuts* e café aguado, as dificuldades no desenvolvimento de um programa que antecipasse os *crashes* de programas de computador. Alguém do Departamento de Matemática ouviu, rindo, a conversa; foi até a mesa dos engenheiros e disse: "O que vocês procuram não existe; Turing provou isso em 1936, há vinte anos."

Liste todas as máquinas de Turing: M_0, M_1,... Com isso, você lista todos os programas possíveis. Agora suponha que existe um programa $g(x, y)$ que funciona assim:

---

[12] Ouvi-a de meu orientador de doutorado, Leopoldo Nachbin, professor na Universidade de Chicago no começo dos anos 60 do século XX.

- $g(x, y) = 1$ se e somente se a máquina de Turing $M_y(x)$ convergir, isto é, se a máquina (programa) de código y agindo sobre os dados de entrada x produzir algum resultado e parar.
- $g(x, y) = 0$ se e somente se a máquina $M_y(x)$ divergir, isto é, se o programa codificado por y agindo sobre os dados x entrar num *loop* infinito e não parar nunca.

Se $g(x, y)$ é um programa, então h, definido abaixo, também vai ser um programa:

- $h(x) = 1$ se e somente se $g(x, x) = 0$.
- $h(x)$ diverge se e somente se $g(x, x) = 1$.

(Para obter um programa divergente em dada situação, basta "clonar" uma conta infinita — o cálculo de uma dízima, por exemplo — ao resultado da operação, qualquer que esse seja.)

Como $h(x)$ é um programa, tem de existir um k tal que $h(x) = M_k(x)$. (Pois esse programa tem de aparecer na listagem de todos os programas possíveis.) Calcula então $M_k(k)$ e vê o resultado:

- Se $h(k) = M_k(k) = 1$, pela definição de h, tiramos que $g(k, k) = 0$. Ora, isso só acontece quando (pela definição de g) $M_k(k)$ diverge. Contradição, portanto.
- Se $h(k) = M_k(k)$ diverge, $g(k, k) = 1$. Donde $M_k(k)$ convergir. Outra contradição.

Logo, nem *h* nem *g* podem ser programas. Ou seja, não há um programa que decida se a máquina vai entrar ou não num *loop* infinito.

Mais fatos sobre o problema da parada

Pode-se dizer que é no problema da parada que a brincadeira começa, ou seja, que as dificuldades associadas à teoria da computação têm início. Sobre o problema da parada, sabe-se o seguinte:

- Considere uma instância qualquer arbitrária do problema da parada, isto é, suponhamos que você pegue o programa *x* e se pergunte se, agindo sobre os dados *y*, *x* entra ou não num *loop* infinito. Pois bem, para tais *x* e *y* sempre existe um programa que vai decidir se *x* agindo em *y* para ou não.
- O mesmo vale para conjuntos finitos de tais *x* e *y*, isto é, um número finito de programas $x_1, x_2,..., x_k$ e um número finito, correspondente de dados de entrada, $y_1, y_2,... y_k$.
- Mas para obtermos um programa único, juntando todas essas possibilidades arbitrárias, precisaremos de alguma operação *infinitária*, isto é, uma operação na qual os dados iniciais sejam em número infinito.

Tais operações não existem na aritmética usual, que é onde realizamos a teoria da computação.

O FETICHISMO DAS MATEMÁTICAS

(O programa não existe, mas há muitas expressões explícitas e razoavelmente simples para a função que resolve o problema da parada, como se mostra logo depois. Mas tais expressões não pertencem à linguagem da aritmética.

Aliás, até hoje existe muito bom programador que não conhece teoria da computação direito. Daí as notícias frequentes sobre algum programa antivírus universal, capaz de servir de vacina para todo e qualquer vírus de computador conhecido. Tal programa não pode ser construído devido ao teorema de Rice, nossa próxima etapa.)

O teorema de Rice

É esse um resultado assustador. Pois da insolubilidade do problema da parada passamos a um resultado catastrófico obtido em 1951 (publicado em 1953) por Henry Gordon Rice. Conhecemos esse resultado como o *teorema de Rice*. Dito de maneira sumária e algo informal:

> *Seja C uma classe qualquer de máquinas de Turing. Então C é recursiva (decidível) se e somente se C for vazia ou incluir todas as máquinas de Turing.*

Máquina de Turing, aqui, lembramos, é sinônimo de programa de computador. Tradução para o teorema de Rice:

Você imagina uma propriedade qualquer de seu interesse que se refere ao que um programa de computador produz. Então você, no caso geral, só vai poder decidir se um programa tem essa propriedade se todo e qualquer programa tiver tal propriedade.

Ou se nenhum programa tiver essa propriedade.

Pensa só: suponha que *C* está enumerando as propriedades que desejamos para um sistema operacional — como o Mac OS, que usamos para produzir este texto, ou o seu êmulo, alguma versão do Windows:

> *Não há processo geral para testarmos se algum sistema operacional tem as propriedades desejáveis, e apenas essas.*

Donde os *bugs* que aparecem a toda hora em qualquer sistema operacional. *Bugs*, furos, incompatibilidades, *crashes*.

Outro exemplo: suponhamos que *C* seja o conjunto de todos os vírus de computador, existentes e possíveis. O teorema de Rice nos garante, então:

> *Não há uma "vacina" universal para vírus de computador.*

Pior: não pode existir, no estado atual de nosso conhecimento para a genética molecular, uma vacina universal contra qualquer tipo de vírus biológico. Todo desenvolvimento de uma vacina antiviral biológica será sempre um processo de tentativa e erro, de busca às cegas, ou quase.[13]

O que é surpreendente é que o teorema de Rice se estende para a maior parte das áreas da matemática. Tal fato foi descoberto em 1990 (publicado em 1991) pelo

---

[13] H.G. Rice, "Classes of Recursively Enumerable Sets and Their Decision Problems", *Transactions of the Amer. Math. Soc.* 74, pp. 358-368 (1953).

autor[14] e por Newton da Costa e abriu caminho para resultados como o teorema de Tsuji para a teoria dos mercados competitivos: existem preços de equilíbrio, mas no caso geral tais preços são incomputáveis.

Hora do recreio: *as máquinas do tempo de Gödel*

Quem não leu H.G. Wells?[15] Em sua obra, *A máquina do tempo*, o Viajante no Tempo explica a seus colegas embasbacados que o tempo é uma quarta dimensão linear, assim como o são comprimento, largura e altura.

Será assim? Os companheiros do Viajante, em seu laboratório, objetam. O tempo é diferente; o tempo não é percebido como uma das dimensões espaciais. E parece fluir, sempre, do passado ao futuro. O Viajante insiste: o tempo é como as dimensões espaciais; apenas uma quarta dimensão, uma dimensão a mais. Certo?

E sai para suas aventuras entre Elois e Morlocks, no futuro indefinido e muito distante.

O tempo é uma dimensão extra, como as dimensões espaciais? Bom, não é bem assim. Vamos ver o retrato que nos dá Einstein, o grande amigo de Gödel, para o universo, em sua teoria da relatividade geral, anunciada em fins de 1915. O universo é nela descrito por um objeto complicado:

---

[14] N.C.A. da Costa e F.A. Doria, "Undecidability and incompleteness in Classical Mechanics", *Int. J. Theoret. Phys.* 30, pp. 1041-1073 (1991).
[15] H.G. Wells, "The Time Machine", em *Selected Short Stories*, Penguin (1962).

- O universo, para a relatividade geral, é uma variedade real, quadridimensional, lisa, dotada de um tensor métrico com assinatura de Minkowski.

Calma aí, vou explicar tudo. Agora.

- *Variedade real, quadridimensional.* Um espaço curvo, de quatro dimensões. A superfície de uma bola de futebol, idealizada como figura geométrica, é uma variedade real de duas dimensões — porque um ponto na sua superfície é determinado por dois números, números reais, a latitude e a longitude.[16]

Imagine agora um espaço curvo a quatro dimensões, onde temos um jeito de localizar cada ponto na sua superfície com quatro números reais. É assim o objeto geométrico subjazendo a um universo de Einstein.

Mas tem mais.

- *Lisa.* Sem bicos, sem ângulos, sem pontas.
- *Dotada de uma métrica de assinatura de Minkowski.* Einstein diz que o campo gravitacional resulta da maneira pela qual medimos distâncias sobre nossa variedade lisa, real, de quatro dimensões. E essa maneira de calcular distâncias traz em si embutido o fato de que medidas se fazem, na teoria relativística, enviando raios luminosos aos pontos

---

[16] Nos polos temos uma indeterminação, mas isso se resolve usando-se duas cartas de coordenadas.

O FETICHISMO DAS MATEMÁTICAS

a serem medidos. Essa a condição: "tensor métrico tendo assinatura de Minkowski" é um objeto com uma estrutura que está ligada à equação de ondas, pois a luz se propaga como uma onda. Reiterando: como já vamos ver, se a luz se propaga no vácuo como uma onda, a uma velocidade constante, então o tempo existirá.

O tempo nasce aqui.
Vamos insistir neste slogan:

Se a velocidade da luz no vácuo é constante, então o tempo existe.

Não basta estarmos num espaço a quatro dimensões, pois o tempo será a quarta dimensão com algo mais, que o distingue das três dimensões espaciais. A luz se propaga no vácuo como uma onda — a luz é, de fato, uma onda eletromagnética. Se a velocidade da luz no vácuo é constante: a onda luminosa se propagará do mesmo jeito em todas as direções. O que quer dizer: a forma da equação que a descreve será sempre a mesma.

Isso obriga a que todos os fenômenos físicos se transformem de acordo com as leis que mantêm invariante a equação de ondas para a luz no vácuo. Tais leis, ou regras de transformação, são as transformações de Lorentz, que contêm em si todos os fenômenos estranhos e anti-intuitivos da relatividade, a começar pela dilatação do tempo — relógios em movimento andam mais devagar. E mais: as transformações de Lorentz implicam a existência de um sentido para o tempo. (As transformações de Lorentz preservam a forma da equação de ondas e nos dizem que no vácuo a luz se propaga, em todas as direções, observada em todos os referenciais, como uma onda com, sempre, a mesma velocidade.)

Porque, para a relatividade geral, um espaço-tempo, um universo, é a tal variedade quadridimensional etc. — à qual acrescentamos, em cada ponto, uma direção e um sentido para o tempo. E esses, globalmente, podem ser muito, muito complicados. Foi o que Gödel mostrou, em 1949, no seu único, e perturbador, trabalho sobre relatividade geral.

Em julho de 1949, a revista *Reviews of Modern Physics* publica um artigo de título rebarbativo — sempre, como todo artigo científico[17] —, no qual se lê, logo na introdução, o seguinte parágrafo:

> ..., *ou seja, nestes universos é teoricamente possível viajar ao passado, ou, de algum modo, influenciar o passado.*

Outras afirmativas, aparentemente mais sóbrias, mas igualmente revolucionárias, digamos assim, aparecem na mesma introdução:

> *Por outro lado, nenhuma ordenação temporal única de todos os eventos pontuais, concordando em direção com*

---

[17] K. Gödel, "An example of a new type of cosmological solutions of Einstein's field equations of gravitation", *Rev. Mod. Phys.* 21, pp. 447-450 (1949).

todas essas ordens [temporais] existe. Isto se exprime na propriedade que se segue: não é possível atribuir uma coordenada temporal t *a cada ponto do espaço-tempo, de tal modo que* t *sempre cresça, se nos movemos no sentido do tempo positivo...*

Tradução: todo mundo já ouviu falar no Big Bang, a hipótese de que o universo tenha começado há 13,7 bilhões de anos e se vá expandindo em direção ao futuro. Mas, para falarmos a respeito da idade do universo, temos de ter uma espécie de coordenada temporal absoluta, uma espécie de relógio natural que tiquetaqueie ao mesmo ritmo em todos os pontos do universo. Isso é factível se a geometria do universo acompanhar aquela de um cilindro quadridimensional, ou seja, algo como

$$C \times R$$

— o que na gíria dos matemáticos se lê: produto cartesiano de um espaço tridimensional C por uma reta R. Nesse caso, o universo evolui ao longo do tempo, representado pela reta R.[18] Só que nos universos de Gödel isso não acontece! Nos universos de Gödel não se pode falar em começo ou fim dos tempos, em Gênesis ou Apocalipse. Não há começo ou fim, salvo em domínios bem restritos. Globalmente, nada. Nada começa, nada termina, porque não há começo ou fim.

---

[18] Não basta que a geometria do universo seja a de um cilindro para termos o tempo global; é necessário que a métrica possa ser decomposta igualmente numa parte temporal e numa parte espacial.

O tempo é, apenas, um fenômeno local. Talvez algo que seja de nossa ordem de grandeza, que seja da escala humana. Na escala do universo todo, o tempo seria, digamos assim, sem sentido. Falar do tempo seria algo absurdo. Tempo é da ordem dos humanos, e só.

O universo de Gödel é muito estranho. Geometricamente, seu substrato é o mais simples dos objetos quadridimensionais, um hiperplano R^4, ou seja, um plano de quatro dimensões. E, no entanto, nesse hiperplano acontecem tais fenômenos inusitados. Tão inusitados que, de início, procurou-se empurrar o lixo para baixo do tapete, ou seja, ignorá-la, à solução de Gödel. Como isso não foi possível, porque ela, como o Everest, estava lá, enorme, à vista de todos; procurou-se contorná-la com postulados *ad hoc*, apenas justificáveis porque a evitavam, como a "conjectura de proteção cronológica", formulada por Stephen Hawking. Sem nenhuma justificativa matemática — apenas o desejo de preservação, no âmbito da cosmologia, das histórias da criação do universo.

Porque o universo de Gödel é, apenas, o mais simples, ou dos mais simples, exemplo de universos em que o tempo tem um comportamento estranho, estranhíssimo, contraintuitivo. Digamos que você coloque num saco, juntos, todos os universos possíveis, segundo a teoria da relatividade geral de Einstein: você mete a mão lá dentro e pesca um universo, ao acaso. Qual a chance de obtermos um universo "normal", "intuitivo", como os universos tipo Gênesis e Apocalipse que começam no Big Bang? Qual essa chance?

Nenhuma. Zero. Nil. Probabilidade nula.

O FETICHISMO DAS MATEMÁTICAS

O universo típico é um bicho muito estranho: sem tempo global, exótico num sentido matemático muito preciso e genérico, agora no sentido da teoria axiomática dos conjuntos. Não vou nem explicar o significado desses termos.[19]

Na verdade houve precedentes para o exemplo de Gödel, como uma solução para as equações de Einstein obtida por Cornelius Lanczos em 1926. Em 1961, Newman, Unti e Tamburino constroem outro exemplo de universo sem tempo global, exemplo muito adequadamente chamado de NUT space.[20] Nos anos 1990, temos o exemplo de Malament-Hogarth, ainda. Logo, o exemplo de Gödel está longe de ser um caso isolado, mas, se poucos o seguiram, tal se deve ao comportamento peculiaríssimo que nele tem o tempo.

A William of Ockham (c. 1285-1349) costumamos associar um princípio, já usado antes, que recebe o nome de "navalha de Ockham":

Nunquam ponenda est pluralitas sine necessitate.

Nunca se afirma uma pluralidade sem que seja necessária. Costuma-se tomar esse princípio como significando que as ideias mais simples serão as mais corretas. Mas não em física: em física, se mais extraordinária, difícil, con-

---

[19] Ver F.A. Doria e M. Doria, "Einstein, Gödel and the mathematics of time," em D. Krause and A. Videira (eds.), *Brazilian Studies in Philosophy and History of Science*, Springer (2011); F.A. Doria e M. Doria, "On formal treatments for general relativity," *Philosophia Naturalis* 46, pp. 115-132 (2009). Ver também o verbete "Exotic manifolds" na Wikipedia em inglês.
[20] "Espaço dos doidos."

traintuitiva a ideia, mais chance terá de nos representar a realidade das coisas. A física é a antinavalha de Ockham. Fim do recreio.

Abstrato e concreto

Você sai de seu apartamento ou casa, numa grande cidade do Brasil, anda alguns passos e chega a uma loja onde você pode comprar um computador tão bonito e rebrilhante e sedutor como este MacBook PRO no qual escrevo este texto, usando um editor, o L^{A}T^{E}X, que, há trinta anos, quando o empreguei pela primeira vez, necessitava toda a força e capacidade de um mainframe, um daqueles computadores enormes que ficavam em salões refrigerados gigantescos, nos antigos centros de processamento de dados.

Agora se faz tudo, e muito mais, nessa maquininha que cabe na minha maleta executiva, fininha e leve.

Essa maquininha-maravilha nasceu, nos anos 1930, nos trabalhos de Gödel, Turing, Church, Kleene, Post, von Neumann. Trabalhos abstratos — cuja concretização tenho agora no MacBook aqui à minha frente. Assim como o GPS que uso em meu carro utiliza as correções da relatividade geral — *da relatividade geral!* — para localizar com precisão, com a ajuda de algum satélite, onde estou.

Ponto. Do abstrato mais do que abstrato ao concreto do quotidiano. Porque não há, na verdade, abstração pura, concreto bruto. Tudo é uma geleia geral.

Que também afeta a teoria e prática econômicas.

2. PREÇOS DE EQUILÍBRIO EXISTEM...

UM MONGE BUDISTA vestido com seu hábito cor de açafrão acorda pouco antes do amanhecer e, justo quando o sol nasce no horizonte, começa a caminhar pela estrada que o leva, todo mês, ao topo da montanha sagrada. Anda devagar, mas nunca descansa, e chega lá em cima, no santuário do topo do monte, quando o sol está desaparecendo. Reza, medita, dorme um pouco e, exato na hora em que nasce o sol, principia a descida de volta a seu mosteiro.

Algumas vezes desce rápido e chega bem antes do anoitecer. Outras vezes vem devagar, curtindo a paisagem, atento a algum passarinho que canta. E chega de volta quando todos os outros monges já se recolheram às celas, bem depois do pôr do sol.

Prove que existe um ponto no caminho pelo qual o monge passa, à mesma hora, na subida e na descida.

Difícil esse problema? Visualize o monge caminhando devagar, irregularmente mesmo, caminhando entre o mosteiro e o santuário do monte. E visualize um outro monge que sai do alto do morro também ao nascer do sol e desce o monte sagrado. Vão se cruzar, inevitavelmente, no caminho e o lugar e a hora nos quais se cruzam, um na subida e o outro na descida, respondem à pergunta que acabamos de fazer. Tal ponto de encontro é um *ponto fixo*.

Quase um *koan*, uma historinha zen, essa nossa pequena fábula. Mas vamos agora dessecá-la, desidratá-la e transformá-la em matemática para melhor vermos nosso ponto fixo, seu significado e suas consequências. E depois, num passe de mágica, chegaremos à teoria econômica dos mercados competitivos.

Primeiro, o ponto fixo na historinha do monge.

O ponto fixo do monge

Vamos descrever como

$$s = s(t)$$

o movimento de subida do monge no caminho do monte sagrado: t é o tempo, a hora da subida, e s a altitude. Por exemplo, $s = s$ (12 horas) nos dá a altitude do monge subindo pelo caminho quando forem 12 horas.

Por outro lado, vamos colocar na relação

$$d = d(t)$$

o que usamos para descrever de modo similar a descida do monge. O ponto fixo, a hora coincidente em que, na subida e na descida, o monge passa na estrada, se dá através da equação

$s(t) = d(t)$

que diz o que desejamos. Pois: d descreve o movimento de descida do monge que estava no alto do morro; descreve a altitude a cada instante, em função do tempo na descida. Enquanto isso, s descreve a subida do monge, ou seja, sua altitude a cada instante. Pense no movimento de um e outro, ao longo das curvas assim traçadas. Para uma determinada altitude, igual nas duas curvas, se encontram. (Aqui temos de impor duas condições extras, para facilitar nosso argumento: o monge cujo movimento é descrito por d desce sempre e o monge que se descreve com s sobe sempre.) Claro que o caso geral pode ser tratado de maneira similar, mas essas simplificações que fizemos levam ao próximo exemplo, já em economia.

O que temos, nesse caso dos monges, é a caracterização de um ponto fixo: pois $s(t) = d(t)$ equivale a

$s(t) - d(t) = 0$

ou seja,

$s(t) - d(t) + t = t$

ou ainda

$F(t) = t$

onde $F(t) = s(t) - d(t) + t$.

$F(t) = t$ é uma *equação de ponto fixo*, pois diz que, através da transformação F, algum valor para t fica inalterado. Dito de outro modo: F é uma transformação que leva um certo valor de t, t_0, sobre si mesmo.

E como podemos ter certeza de que algum ponto fixo, digamos, um certo valor t_0 para o tempo, que satisfaça a condição imposta, existe? Porque t_0, se satisfaz a equação $s(t_0) = d(t_0)$, satisfará $F(t_0) = t_o$ e vice-versa. Pois:

$$F(t_0) = s(t_0) - d(t_0) + t_0 = 0 + t_0 = t_0$$

já que $s(t_0) = d(t_0)$.

Isso se deriva dos "teoremas de ponto fixo" em matemática. Nesse caso, é óbvio: uma curva sobe sempre, a outra desce sempre. Logo, se interceptam nalgum lugar.[1]

Esse exemplo simples, como veremos, é a base do argumento que funda a prova da existência de preços de equilíbrio em mercados competitivos, o famoso teorema de Arrow-Debreu. Basta escrevermos $s(p)$, onde p agora é um preço e s a função oferta (de *supply,* oferta) e $d(p)$ a função procura (de *demand,* procura).

Vamos com calma.

---
[1] A prova rigorosa é mais delicada do que esse argumento informal.

O FETICHISMO DAS MATEMÁTICAS

Uma nota: o caso geral da historinha do monge

Talvez valesse a pena o leitor pensar um pouquinho a respeito, mas como sei que ninguém gosta de fazer esse tipo de coisa — salvo quem gosta de resolver quebra-cabeças, palavras cruzadas, misterinhos de seção de variedades de jornal de antigamente — vai aqui a solução do caso geral do exemplo. Vamos usar as funções $t = s(l)$ e $t = d(l)$, onde l é o caminho sendo percorrido. Basta então colocarmos $s = d$. Obtém-se o ponto fixo e prova-se que o é, com um pouquinho mais de algebrismos.

Mas o caso particular que foi exposto passa direto ao exemplo em economia, que é nosso interesse.

Preços de equilíbrio num mercado bem simples

Para mostrarmos o essencial do teorema de Arrow-Debreu, que nos garante a existência de preços de equilíbrio em mercados competitivos, vamos partir de um exemplo bem simples, um mercado com um consumidor, de um lado, e um produtor, do outro. O preço, ou os preços de equilíbrio, resulta da equação

$$s(p) = d(p),$$

equação que afirma o equilíbrio entre a oferta e a procura. Ou seja,

$$F(p) = p.$$

Aqui, $F(p) = s(p) - d(p) + p$, em paralelo ao caso da historinha do monge. Logo, preços de equilíbrio existem se e somente se existir o ponto fixo para a função F.

Tudo bem? Mas e o caso dos mercados com milhares de consumidores e produtores? Vamos vê-lo num átimo — mas, apesar de sua complexidade, o arcabouço essencial do argumento está nessa continha que acabamos de fazer.

Mercato Nuovo, Florença

Você está agora em terra sagrada, ou quase. Porque vou levar você por um passeio pelas ruas e vielas onde começou o capitalismo financeiro. É importante: pois você só entende, mesmo, o que significa "mercado" ao ver onde nasceu um dos primeiros mercados, no centro histórico, *centro storico*, em Florença. Aqui temos o mercado, o mercado econômico, tornado em coisa sólida, vivida, real, concreta. Realidade histórica, em séculos de mutação.

Você vem comigo. Estamos, agora, no começo, numa quádrupla esquina, junto do Rio Arno. À nossa direita, a Ponte della S.S. Trinità, que os nazistas fizeram explodir em 1944 e que em 1947 o povo de Florença, liderado por um *sindaco,* prefeito, comunista, reconstruiu de acordo com os planos do século XVII. No meio de dificuldades, carências e privações muitas. Aqui começa o Lungarno degli Acciaioli; o nome (na grafia alternativa, *Acciaiuoli*) está na placa, bem alta, no antigo Palazzo degli Spini, hoje sede da Salvatore Ferragamo, nessa esquina. Da ponte, à nossa esquerda, sai a Via Tornabuoni, que celebra a famí-

lia de uma das consortes dos Médicis, Monna, Madonna
Lucrezia Tornabuoni, mãe de Lorenzo il Magnifico. A Via
Tornabuoni é hoje lugar de consumo conspícuo; nela vemos ainda *palazzi* das antigas famílias, como esse mesmo
Palazzo Spini, ou o *meraviglioso* Palazzo Strozzi, mas na
maior parte são lojas e lojas e lojas de luxo, roupas luxuosas, joalherias. Consumo conspícuo.

(Os Tornabuoni eram, na origem, uma família aristocrática, de raízes feudais, os Tornaquinci. Excluídos do
governo da cidade pelos *popolani*, populares, na verdade
os grandes comerciantes que assumiram o poder em Florença, ricos os *popolani*, mas sem origem nobre, os Tornaquinci renunciaram a seus privilégios de nobreza e
mudaram de nome, de Tornaquinci para Tornabuoni,
nome que encerra um trocadilho, tornam-se bons, isto é,
tornam-se membros do partido *popolano*.)

Mas não vamos seguir pela Via Tornabuoni. Andemos
pelo Lungarno degli Acciaioli até o Ponte Vecchio, à nossa
frente (de que certa vez minha filha disse "o Ponte Vecchio é o camelódromo de Florença", ao que acrescentei,
cada cidade tem o camelódromo que merece).

Andemos, então, pelo lungarno, ao longo do Rio
Arno, até o Ponte Vecchio, ali embaixo. A gente que possuía todo esse *quartiere* da cidade, desde o século XII, os
Acciaiolis, *popolani,* mercadores riquíssimos, foram os titulares de um grande banco, a Ragione Acciaioli, ou, mais
precisamente, *Compagna di Ser Leone degli Acciaioli e dei
suoi compagni*, companhia do senhor Leone degli Acciaioli e de seus sócios. *Messer*, isto é, o senhor Leone
degli Acciaioli, nasceu entre 1220 e 1230. Aventureiro,

arrojado, roubou na Ásia Menor de um santuário os ossos de São Tomé e trouxe-os para Ortona, onde estão e até hoje são venerados. Em seguida foi estudar cânones — leis — em Bologna e tornou-se advogado, doutor em cânones, membro notável de uma das mais potentes corporações de ofício de Florença, a Arte de' Giudici e Notai, a corporação dos juízes e notários. Funda o banco familiar e em 1282, depois que os *popolani* — os grandes comerciantes, insisto — conquistam o poder em Florença, torna-se membro da Senhoria, do governo da cidade. Aventureiro, advogado, político, morre por volta de 1300 e está enterrado aqui perto, na igreja de' S.S. Apostoli, na Piazzetta del Limbo, a dois passos da Via Tornabuoni.

Seus parentes tornam-se a principal força política em Nápoles, na primeira metade do século XIV. Como conseguem tal poder? Pelo dinheiro, *tout court*: e de banqueiros se fazem em senhores feudais, e logo em seguida conquistam um principado na Grécia, onde reinam como duques de Atenas até a chegada dos turcos em 1460. Curiosa reversão essa, do capitalismo ao poder monárquico. Mas é o que acontece, com maior brilho, muito maior, aos Médicis, igualmente *popolani* até começos do século XVI e em seguida grãos-duques da Toscana.

Em 1508 um garoto, adolescente de seus 12 ou 13 anos, Simon Acciaioli, é enviado daqui de Florença à Ilha da Madeira, para trabalhar com o tio materno, Benozzo Amadori, comerciante que servia como banqueiro das rendas reais no Funchal[2] e que lá negociava com importa-

---

[2] Mais precisamente, almoxarife real na Madeira.

dos especiais, tais como o vinho de Malvasia. Desse Simon descende uma fieira de oligarcas e senhores de engenho no nordeste brasileiro.[3] Em menor escala, de novo o que acontece na Europa: do capitalismo comercial e financeiro, regridem ao feudalismo.

É também o caso dos Cavalcantis, que já encontraremos, adiante, neste passeio pelas ruas de Florença e pela história do capitalismo.

Avançamos pelo Lungarno degli Acciaioli, chegamos ao Ponte Vecchio. Diante de nós a antiga Torre dei Mannelli, do século XIII; à esquerda, a Via Por Santa Maria, que nos leva ao Mercato Nuovo, aonde queremos chegar. A Via Por Santa Maria prolonga-se, depois do Mercato Nuovo, na Via Calimala, que nos relembra a Arte di Calimala, a corporação dos comerciantes de tecidos de lã — chamava-se Arte di Calimala porque a sede dessa corporação ficava nessa rua. É na Arte di Calimala, que controlava o negócio dos panos de lã, que começa o capitalismo florentino, pelo século XII. Logo em seguida funda-se a Arte del Cambio, a corporação dos banqueiros, cujas atividades começam na troca, no câmbio, de moedas diversas, praticada pelos primeiros banqueiros. Já já lá chegamos.

Nos aproximamos do Mercato Nuovo. É uma grande *loggia*, espaço aberto, semipúblico; sim, e de seu nome vem-nos loja. Aqui nasce o capitalismo: comercial, financeiro. Marx fala-nos da acumulação primitiva do capital, que irá deslanchar o capitalismo industrial do século XIX,

---

[3] C.C. Albuquerque, F. Arruda de Lima, F.A. Doria, *Acciaiolis no Brasil: a família do Cel. Francisco de Barros e Accioli de Vasconcellos*, lulu.com (2011).

pois aqui estamos no mercado primevo, na *loggia del* Mercato Nuovo, na loja original, na origem, nas raízes. Economistas deviam vir aqui para conhecer esse mercado, nada abstrato, por sinal. E se banharem com a munificência dos grandes banqueiros florentinos, patronos da arte, da cultura — pois afinal foram esses *popolani*, esses banqueiros enriquecidos que deram a base econômica para o Renascimento. E foram eles, também, humanistas, como o tradutor de Plutarco, Donato Acciaioli; o historiador de Florença, Giovanni Cavalcanti; e o poeta Lorenzo de' Medici. Humanistas e políticos; não havia, àquele tempo, incompatibilidade entre uma e outra ocupações. Seu dinheiro já se foi há muito tempo, mas ficou tudo que hoje gozamos e gozamos nos Uffizi, no Palazzo Pitti, em toda essa milagrosa cidade, enfim. Fizeram, dos produtos do capitalismo, grandes obras de arte.

O capitalismo florentino tem seu sentido e justificação revelados na Renascença. O capitalismo de Florença produziu a Renascença. O que nos dá o capitalismo de hoje?

Uma quadra adiante do Mercato Nuovo fica a Via Porta Rossa, *già Via del Cavalcanti*. Que se chamava Via dos Cavalcantis. Nobres feudais esses Cavalcantis, depois grandes capitalistas, humanistas — deram-nos um poeta, Guido Cavalcanti, amigo de Dante, e um filósofo, Giovanni Cavalcanti, filósofo e político. Outro Giovanni Cavalcanti surge para a história, em começos do século XVI, como o principal fornecedor de bens suntuários à corte de Henrique VIII, que numa carta surpreendente, de 1528, declara-se a este meteco, Giovanni Cavalcanti, um amigo fiel. Banqueiro, comerciante, seu filho Filippo

O FETICHISMO DAS MATEMÁTICAS

Cavalcanti emigra em 1560 para o Brasil, onde estabelece diversas linhas oligárquicas de senhores de engenho. Do capitalismo à oligarquia, de novo. Será uma regra geral, inevitável?[4]

Vamos voltar ao Mercato Nuovo. As grandes casas florentinas tinham, no seu rés do chão, espaços abertos como esse do Mercato; era a *loggia*. Se banqueiros, tinham na *loggia* bancos, sim, diante de uma mesa, onde dispunham moedas várias para trocar: o câmbio. Se mercadores, atendiam de pé.

Do concreto ao abstrato: o banco, a loja, o mercado.

No Mercato Nuovo reuniam-se diversos comerciantes, que, juntos, abrigados na *loggia* enorme, comerciavam com clientes e comerciavam entre si. Produtores e consumidores, vestidos com o *lucco*, o manto que caracterizava explicitamente os comerciantes florentinos, que os identificava. Aqui, a origem dos mercados, concreta, verdadeira, em carne e osso. E competitiva.

É necessário visitar Florença: por tudo, e para conhecer a origem do capitalismo.

Léon Walras

As leis da economia são simples, dizem. Se os preços sobem, você pensa duas vezes antes de comprar: a demanda cai. E se os preços sobem, os produtores se assanham e querem produzir mais do produto com preços em ascensão.

---

[4] C.C. Albuquerque, F. Arruda de Lima, M. Bezerra Cavalcanti, F.A. Doria, *Os Cavalcantis*, Ed. Jardim da Casa/Lulu Books (2011).

Volto a Florença. Lá desembarquei uma vez tarde, depois de nove da noite; era no outono. Deixei malas e pacotes no hotel e procurei um lugar para comer. Lembrei-me de que havia uma *trattoria* em frente ao hotel, no Borgo de' S.S. Apostoli. Estava aberta, fui lá. Pedi o mesmo *antipasto* que havia comido naquele lugar um ano antes. Três ovos estalados, ainda na frigideira, com funghi — e muitas e muitas *scaglie,* fatias finas, de trufas negras. Olorosíssimas. Delícia.

Mas o preço tinha saltado: um ano antes custavam, meus ovos trufados, dez euros. Que passaram para quinze, ali. Por quê? Reclamei com o garçom, que me explica, pressuroso e constrangido, a estação das trufas não foi boa, poucas peças de qualidade, compreende, *signore?* Compreendo: demanda alta, cai a oferta, sobe o preço.

Léon Walras (1834-1910) formulou isso em elegantes matemáticas. O argumento de Walras, que levou ao teorema de ponto fixo de Arrow e Debreu, será brevemente esboçado logo adiante. Walras sabia que para um produto só ficava fácil determinar, na interseção das curvas s e d, o preço de equilíbrio. Mostrou em seguida como montar, para diversos mercados, um sistema semelhante de equações e argumentou heuristicamente (como vamos fazer) que tal sistema, ainda que não linear, possuiria sempre soluções, dadas condições adequadas para a oferta e a procura.

Arrow e Debreu

Kenneth Arrow (n. 1921) e Gérard Debreu (1921-2004) formalizaram de maneira rigorosa, em 1954, o resultado de Walras. Seu artigo[5] principia:

> Léon Walras foi quem primeiro formulou o estado de um sistema econômico, a qualquer tempo, como a solução de um sistema de equações simultâneas que representavam a demanda de bens pelos consumidores, a oferta dos bens pelos produtores e a condição de equilíbrio, que a oferta igualasse a demanda em cada mercado. Supunha-se que cada consumidor agisse no sentido de maximizar sua utilidade, cada produtor agindo no sentido de maximizar seu lucro e que a competição fosse perfeita, isto é, cada produtor e consumidor consideram os preços pagos e recebidos como independentes de suas próprias escolhas. No entanto, Walras não deu argumentos conclusivos mostrando que as equações propostas tinham solução.

O argumento de Arrow e Debreu usa o conceito de equilíbrio de Nash para provar a existência dos preços de equilíbrio num mercado competitivo.[6] O equilíbrio de Nash resulta de um teorema de ponto fixo. Mas podemos obter o resultado de Arrow e Debreu, simplificado, a par-

---

[5] K.J. Arrow e G. Debreu, "Existence of an equilibrium for a competitive economy", *Econometrica* 22, pp. 265-290 (1954).
[6] A maximização de utilidades e lucros aparece aqui, no equilíbrio de Nash. Para esse, ver F.A. Doria e P. Doria, *Comunicação*, op. cit.

tir do argumento que abre esta seção, na qual é óbvia a existência do ponto fixo.

Vamos repetir o argumento. O preço, ou os preços, de equilíbrio, resulta da equação

$$s(p) = d(p)$$

equação que afirma o equilíbrio entre a oferta e a procura. Ou seja,

$$F(p) = p.$$

Aqui, ainda, $F(p) = s(p) - d(p) + p$, em paralelo ao caso da historinha do monge. Logo, preços de equilíbrio existem se e somente se existir o ponto fixo para a função F.

Notemos que:

- p é um vetor de preços, $p = (p_1, p_2, ..., p_k)$. E igualmente $s = (s_1, ..., s_k)$, um vetor de produtores e $d = (d_1, ..., d_k)$, um vetor de consumidores.
- Precisamos impor uma condição que nos garanta a existência das curvas s e d se interceptando. Supomos, no caso, que se houver outros preços de equilíbrio, digamos,

$$(p_{01}, p_{02}, ..., p_{0i}, -1; p_{0i}+1, ..., p_k)$$

as curvas com esses preços constantes, para s_i e d_i, só dependendo de p_i, se reduzem ao caso do mercado com uma só mercadoria.

Esse, na essência, e com algumas simplificações, o argumento de Arrow e Debreu. Cujo resultado Mário Henrique Simonsen[7] considerava um dos pontos culminantes do pensamento ocidental.

É bonito e elegante — mas será um dos Himalaias do pensamento do ocidente?

Outro recreio: os pontos fixos e seu significado

Você mal percebe o que faz quando adoça a sua xícara de café e dá uma mexida nela com a colher.[8] Mas dê uma olhada na superfície do líquido antes de começar a beber: todo o líquido gira, menos o centro. É, novamente, o ponto fixo. Surpreso com a descoberta e sem saber como avaliá-la, ou relacioná-la à história do monge, você passa a mão na cabeça, nos cabelos e toca, inconscientemente quase, o redemoinho que todos temos no alto da cabeça — claro, se você tem cabelo. É mais outro ponto fixo.

Qual o significado desses exemplos? Curiosidade, apenas?

Você liga o computador[9] e vai fazer uma busca na internet. De repente tudo some da tela e um desenho malicioso ocupa-a: seu computador foi "bichado", tem um vírus. Que é um vírus de computador? É um programa que se reproduz a si mesmo. Um programa cujo resultado é seu

---
[7] *Ensaios analíticos*, 2ª ed., FGV (1994).
[8] Novamente me baseio em F.A. Doria e P. Doria, *Comunicação*, op. cit.
[9] Desde que você não use Linux ou o MAC OS como sistema operacional, pois são escassos os vírus para ambos.

próprio código. Um programa que se reproduz, um programa que, agindo sobre um certo algoritmo, produz como resultado o próprio algoritmo. Mais outro ponto fixo.

Você olha uma flor, uma flor irradiando-se em pétalas. No seu centro, no desenho de seu centro, há um ponto fixo. Pontos fixos existem em toda a natureza, você começa a perceber aos poucos. Qual seu significado? Há um significado comum? Ou são múltiplos, multifacetados, talvez incoerentes no seu conjunto, esses diversos significados?

Encruzilhadas conceituais

Os teoremas de ponto fixo são exemplos de um fenômeno fascinante que ocorre nas ciências matematizadas, as *encruzilhadas conceituais*. São construções formais, conceitos aparentemente muito particulares que, no entanto, de repente, aparecem e se recriam em áreas e disciplinas as mais variadas. Um deles, o conceito de entropia, que nasceu na termodinâmica em começos do século XIX, ressurgiu na mecânica estatística em fins do mesmo século, virou quantidade de informação quando Hartley o reinventou em 1925 — sim, informação no sentido comum da palavra — e hoje tornou-se medida de complexidade, na teoria algorítmica da computação de Gregory Chaitin.[10]

Examinaremos aqui mais dois outros exemplos, a fórmula cabalística "$\partial^2 = 0$" e os nossos teoremas de ponto fixo.

---

[10] Uma coleção de trabalhos de Chaitin é G.J. Chaitin, *Information, Randomness, and Incompleteness*, World Scientific (1987).

O FETICHISMO DAS MATEMÁTICAS

Antes, uma observação: será que esses conceitos não existiriam também nas humanidades? Pois termos como "inconsciente" ou "linguagem" ou mesmo "cultura" perpassam áreas as mais variadas. No entanto, suas definições tendem a ser vagas, necessariamente, de modo que às vezes não sabemos se o significado de "linguagem" numa teoria linguística rigorosamente formalizada é o mesmo que essa palavra terá para um psicanalista seguidor das *ravings* de Jacques Lacan. (Decerto teremos, num e noutro casos, conceitos diversos e às vezes incompatíveis, encobertos pela mesma palavra — mas a própria informalidade de uma das teorias, a de Lacan, nunca nos permitirá explicitar as possíveis incompatibilidades.) As encruzilhadas conceituais que vamos discutir e tentar compreender exprimem-se em expressões formais simples: $f(x) = x$ para os resultados de ponto fixo; ou $\partial^2 = 0$, cujo significado vamos conhecer agora.

A equação misteriosa $\partial^2 = 0$

Desenhe um círculo no papel. A área dentro do círculo tem a circunferência como sua fronteira, como seu limite. Mas a própria circunferência não tem limite nenhum. Pegue uma esfera, uma bola. A superfície da esfera é a fronteira da esfera. Mas essa fronteira da esfera não tem nenhuma fronteira. Esse o significado da expressão quase hieroglífica $\partial^2 = 0$: a fronteira de uma fronteira não existe, é zero. O operador ∂ diz: de uma figura geométrica, obtenha sua fronteira. E $\partial^2 = 0$ resume: quando vou procurar a fronteira de uma fronteira, descubro que essa fronteira redobrada não existe (pense no exemplo da esfera, insisto).

Um fato geométrico, portanto. Mas com repercussões inesperadas.

Que já enuncio. Por exemplo:

- A mecânica clássica parte de uma premissa que quase nunca é explicitada: podemos descrever quaisquer movimentos dando-se apenas a posição inicial de um móvel e sua velocidade nessa posição inicial. Mais nada: acelerações, hiperacelerações, nada disso é necessário; apenas a posição e velocidade iniciais.

A pedra que jogo para o ar tem sua trajetória, seu movimento, fixados por esses dois dados, o lugar de onde a atiramos e a velocidade que lhe damos no início do movimento. Quando manipulamos as equações da mecânica clássica, vemos que essas têm uma forma que corresponde à de nossa expressão mágica, $\partial^2 = 0$.[11]

- Mais ainda: o potencial elétrico no vazio é descrito pela mesma equação (que representamos $\nabla^2 U = 0$; é a "equação de Laplace") ou mesmo, em certo sentido, o movimento das ondas, quaisquer ondas, sonoras ou luminosas.

---

[11] Nota técnica: é uma das formas do sistema de Hamilton, $d^2\,\xi = 0$.

O FETICHISMO DAS MATEMÁTICAS

Qual o significado dessas múltiplas convergências conceituais?

$f(x) = x.$

Você com certeza viu o filme de Stanley Kubrick *2001: A Space Odyssey*.[12] Percebeu com certeza que o personagem central do filme, na verdade, é o monólito. E o que é o monólito? Nos filmes que se sucedem, diz-se que o monólito é uma "máquina de von Neumann". E que são tais máquinas?

Uma exposição técnica faz-se no livro pai dos burros de Rogers.[13] Mas, intuitivamente, o que o matemático John von Neumann[14] perguntou-se, em 1946, é: como seria uma máquina capaz de se reproduzir a si mesma? O problema não é físico, é formal. Isso significa o seguinte: o problema não está em se conseguirem materiais para que a máquina se refaça a si mesma, faça para si uma cópia de si mesma. Está no *programa*, isto é, no conjunto de instruções que a máquina precisa seguir para se reproduzir.

Estranho? Mas é assim a base do código genético. Precisamos de um programa x que se refaça a si mesmo; usando nossa equação mágica, um programa fx tal que $fx(x) = x$, onde aqui x é o código para o programa autorreplicável,[15] que se escreve a si mesmo.

---

[12] *2001: uma odisseia no espaço*, lançado em 1968.
[13] H. Rogers Jr., *Theory of Recursive Functions*, 2ª ed., MIT Press (1992), p. 179 e ss.
[14] Também criador da teoria dos jogos.
[15] O número x, um número binário, codifica as instruções do programa.

É também essa a base dos vírus de computador, que são programas que proliferam, reproduzindo-se como células cancerosas. Mas programas de computador pertencem ao domínio das coisas *discretas*, ou seja, ao domínio das coisas isoladas, como os números inteiros da aritmética (na verdade, a teoria da programação é uma das faces da aritmética usual; fazer contas com inteiros é fazer aritmética e é fazer programação). Os pontos fixos que interessam à teoria dos jogos e à economia referem-se ao contínuo, linhas, curvas, superfícies. No entanto, podemos passar[16] de um domínio ao outro, das coisas discretas ao contínuo, e podemos mostrar que os pontos fixos da aritmética correspondem a pontos fixos no contínuo, no âmbito de uma teoria matemática chamada análise clássica.

Tais são os pontos fixos que interessam à economia. Novamente temos aqui uma imagem intuitiva como ponto de partida: se mexemos com uma colher o café que está numa xícara, veremos que um ponto permanece imóvel na superfície do líquido. O ponto imóvel é o ponto fixo da transformação. O primeiro teorema de ponto fixo, obtido por Brouwer no início do século XX em topologia geral,[17] se especializa no teorema de Kakutani, que serve diretamente à teoria dos jogos e que data de 1941.

---

[16] Com o chamado *fuctor de Richardson*.
[17] Disciplina matemática que estuda o conceito de continuidade, entre outros.

O FETICHISMO DAS MATEMÁTICAS

O *mistério das encruzilhadas*

Qual o significado dessas encruzilhadas conceituais? Costumamos conceber a matemática, e mesmo as demais ciências, como parte de uma hierarquia: dos axiomas gerais (ou dos princípios básicos, ou das leis fundamentais) descemos para as áreas mais e mais específicas e distantes mais e mais umas das outras.

No entanto, essa não é decerto a melhor imagem para tais sistemas de conhecimento. Partes distantes de repente se aproximam quase inesperadamente, como é o caso dessas encruzilhadas conceituais — ou da que exemplificamos antes, a entropia, que surge na termodinâmica, passa à teoria da informação, aplica-se em modelos para o crescimento urbano e de repente se mostra útil quando tentamos descrever o modo pelo qual os buracos negros, em relatividade geral, crescem nos confins do universo.

Há alguma regra nisso tudo? Provavelmente não; tais conexões entre domínios distantes podem revelar-se apenas como movimentos aleatórios.

Aleatórios? Como num jogo de dados? Sim. Gregory Chaitin[18] sugeriu em 1965 uma formulação precisa e intuitiva para o conceito de aleatoriedade e há um resultado muito bonito de Chaitin, publicado em 1987, no qual esse matemático mostra que certa família de equações tem ou não soluções de um certo tipo sem que haja regra discernível para a ocorrência de um ou outro caso.

---

[18] Ao mesmo tempo em que dois outros matemáticos, Ray Solomonoff e Andrei Kolmogorov, fazem sugestões semelhantes.

Como num jogo de dados. Assim parecem ser as encruzilhadas conceituais: sua estrutura, sua natureza extrema podem não ser mais claras ou compreensíveis ou descritíveis do que a sucessão de vermelhos e negros na roleta de um cassino.

3. ...MAS NÃO PODEMOS CALCULÁ-LOS

NA VERDADE, PARA SERMOS PRECISOS: não podemos computá-los. Qual a diferença? Uma coisa se computa se podemos escrever um programa de computador, um algoritmo, que o calcule. E, no caso geral do resultado de Arrow e Debreu, os preços de equilíbrio são assim: existem, estão lá, mas não podem ser computados.

Foi o que me disse Marcelo Tsuji, rapidamente, na conversa que tivemos, naquela manhã de inverno, junto do cafezinho, no Departamento de Filosofia da USP, no intervalo de um dos seminários de Newton da Costa.

Como? Você não entendeu o que estou dizendo? Vai entender agora, então.

A matemática da economia começa no caos

Um dia, meados de 1985, meu antigo orientador de doutorado, Leopoldo Nachbin, me convoca a um encontro. Não me convida: me convoca, me intima. Lembro-me bem de como as coisas se passaram: no gabinete do Leopoldo, ele sentado, imperialmente, diria, à sua mesa de trabalho, eu de pé diante dele e Leopoldo me dando bronca atrás de bronca. Esperava coisas boas de você, dizia, e você não fez nada, não tem feito nada. Esse o *leitmotiv* da conversa, da espinafração.

Leopoldo estava certo; havia passado o ano anterior sem fazer coisa alguma em matemática, tirante algumas bobagenzinhas sem importância. Daí aquela bronca, de certo modo merecida. O ano anterior tinha sido difícil, complicado — mas Leopoldo certa vez me havia falado que o trabalho criativo em matemática era quase tão bom quanto remédio e depois disso, muita vez, no meio de dificuldades, peguei algum problema para estudar — e me distrair. Ou seja, não tinha desculpa. Em crise, o melhor seria trabalhar, o melhor remédio, na visão do Leopoldo, e eu estivera inerme, parado.

Dois dias depois recebo um presente do Leopoldo, quase um pedido meio sem jeito de desculpas pela bronca, um livro no qual encontro o problema que vai me motivar nos cinco anos seguintes, o problema de decisão para sistemas caóticos: *tem receita para dizer quando um sistema terá comportamento caótico?*

Resposta que demos, em julho de 1990, Newton da Costa e eu: não, não tem tal receita. Qualquer que seja a definição para caos que utilizarmos. Caos é indecidível: não há receita geral que identifique o caos dos sistemas físicos formalizados nalguma teoria matemática.

Newton da Costa

Leopoldo fez mais do que me mandar um livro no qual encontrei um bom problema, diria até, *aquele* bom problema; Leopoldo me aproximou de Newton da Costa.

O FETICHISMO DAS MATEMÁTICAS

Newton é, com certeza, o mais importante lógico matemático da América Latina — e somos amigos há um quarto de século, desde que Leopoldo nos aproximou. Antes de nos encontrarmos, ainda em 1985, conversamos algumas vezes por telefone; engraçado, imaginei-o baixo, troncudo, moreno, com óculos de aros grossos, rosto quadrado, cabelo quase à escovinha. E sorridente, bem-humorado. Quando o encontro, enfim, vejo uma pessoa totalmente diferente, sorridente, sim, mas alto, louro e de olhos claros, rosto oval, óculos de aros finos de metal.

Como podemos montar uma imagem tão distante do concreto a partir da voz? Só acertei no sorriso constante.

Newton é um *showman* dando aula. E gosta de dizer, para alunos novos, "vim aqui jogar a serpente no Paraíso de vocês". Certa vez escrevi no quadro-negro em seu gabinete na Filosofia da USP um verso do *Fausto* que poderia servir como sua divisa:

Ich bin der Geist der stets verneint

Sou o espírito que sempre nega. (Lembra uma frase de Herbert Marcuse, em *Razão e revolução,* sua tese sobre Hegel, uma frase a respeito do poder do pensamento negativo. Outro lema para Newton.) Newton gosta de ideias ousadas, originais, anticonvencionais. E gosta que seus alunos e colaboradores sejam críticos. Arrojo, com rigor. Lembra sempre um conceito de Georg Kreisel (n. 1920), o último dos grandes lógicos da geração de Gödel, Turing, Tarski, Kleene, ainda conosco: TENOS, *technical expertise, not only speculation.* Habilidade técnica, e não apenas especulação. Newton da Costa manobra bem sobre o fio da navalha do arrojo conceitual e da capacidade, do rigor técnicos.

Depois de muita troca de correspondência, e de muito papo telefônico, Newton me convidou, em 1987, fevereiro, para dar um curso no Instituto de Estudos Avançados da USP, sobre *forcing*, a técnica inventada por Paul Cohen para mostrar a independência da hipótese do *continuum* e do axioma da escolha face aos axiomas da teoria dos conjuntos. (Quando terminei o curso, Newton veio a mim e disse: "Você passou no seu exame de qualificação comigo." E riu.)

Em seguida pediu-me que organizasse uma lista de problemas que julgasse interessantes na interface entre a lógica e as ciências matematizadas.[1] Nessa lista, aplicações na economia e o problema de decisão para sistemas caóticos, sobre o qual já falei.

Algum tempo depois, em 1990, estava nos Estados Unidos, em Stanford, quando, seguindo uma dica de Pat Suppes, Newton e eu conseguimos mostrar que a teoria do caos é indecidível, ou seja, não há algoritmo que separe joio do trigo, caos de não caos. (Pat sugeriu-me que lesse um certo artigo de Daniel Richardson, de 1968; descubro-o na biblioteca da matemática de Stanford e, de tardinha, leio-o em diagonal. Na volta para meu gabinete, pelos jardins de Stanford, encontro Pat, voltando para casa. Digo-lhe, já a partir da leitura preliminar, *Pat, ergo-*

---

[1] Ver a lista em N.C.A da Costa e F.A. Doria, *On the Foundations of Science, I*, COPPE/PEP (2008).

dicity is undecidable. Pat, ergodicidade — um tipo de caos — é indecidível. Pat ri e responde, *good, good*.)

Mais quinze dias de trabalho, muitas trocas pela antiga Bitnet entre São Paulo, onde estava Newton, e Stanford, onde passava meu sabático, e conseguimos mostrar que a teoria do caos era não só indecidível, mas também incompleta, no sentido de Gödel. Mais precisamente, construímos uma sentença formal da teoria do caos — numa sua versão axiomatizada — que dizia "x é caótico" e que era indecidível se nossa axiomatização para o caos for uma axiomatização consistente.

Para conseguir esses resultados, construímos uma função que resolve o problema da parada. Que, percebe-se, é insolúvel na aritmética. Mas pode ser resolvido em teorias um pouquinho, um pouquinho só, mais fortes do que a aritmética.

A função θ e o número Ω

Em 1987, Gregory Chaitin (n. 1947) surpreendeu-nos a todos com um resultado matemático inesperado: existe um número (que designou com a letra Ω), número irracional, em que está codificada a solução do problema da parada, que Turing mostrou ser computacionalmente insolúvel. Como é isso possível? "Computacionalmente insolúvel" significa: usando-se os recursos da aritmética; mas se vamos um pouco além da aritmética, podemos obter objetos que codificam uma solução para o problema da parada. E em 1990, Newton da Costa e eu mostramos que existe uma função, que pode ser escrita explicitamente — nós o fizemos — na linguagem do cálculo diferencial e integral, tal que:

$\theta(m, n) = 1$ se e somente se a máquina de Turing de programa m, tendo como dado de entrada a um n, para depois de um número finito de ciclos.

$\theta(m, n) = 0$ se e somente se a máquina de Turing de programa m, tendo como dado de entrada a um n, nunca para.

Mostramos, de imediato, que há um número infinito de expressões para a função θ. E, um tempo depois, relacionamos θ e Ω.[2] E, finalmente, da função θ tiramos uma espécie de teorema de Rice válido para grandes partes da matemática, no qual se usa a linguagem do cálculo infinitesimal:

Se P é uma propriedade tal que, na nossa teoria, para certo c' prova-se que P(c') — c' tem a propriedade P — e para c" ≠ c', não P(c"), então existe um c tal que nem se prova P(c) nem sua negação, não P(c).

Vale para qualquer propriedade P. Como é a cara de c? Fácil:

$$c = c'\theta + c''(1 - \theta).$$

---

[2] Entre outros lugares, ver G. Chaitin, N.C.A. da Costa e F.A. Doria, *Gödel's Way: Exploits into an Undecidable World*, Taylor & Francis (2011).

O FETICHISMO DAS MATEMÁTICAS

Se $P(x)$ é "x é caótico", temos o resultado sobre caos. E daqui partimos para os mercados competitivos em economia.

θ é uma espécie de cereja no topo de um bolo de várias camadas; um detalhe em cima de uma construção formidável. A camada de baixo, básica, é a solução do Décimo Problema de Hilbert, por Julia Robinson, Martin Davis e Yuri Matyashevich. O que nos diz essa solução? Que podemos traduzir toda a teoria da computação, a teoria das máquinas de Turing, na teoria das equações diofantinas, teoria das soluções por números inteiros, de equações polinomiais com coeficientes inteiros, por exemplo,

$$x^2 + y^2 = z^2.$$

Você verifica fácil: 3, 4 e 5, substituídos em x, y e z, são uma solução possível.

A camada seguinte é nova tradução: traduzimos a teoria das equações diofantinas dentro da linguagem do cálculo diferencial e integral, usando-se funções familiares como polinômios, exponenciais, senos e cossenos. Faz-se isso de diversas maneiras; uma das maneiras possíveis que utilizamos foi o "functor de Richardson", construção feita pelo matemático Daniel Richardson em 1968.

E a partir dessa construção longa e complexa, complementamos com o glacê e a cereja, o que leva à nossa função θ. Em trabalhos subsequentes mostramos outras versões possíveis para θ, uma delas correspondendo diretamente ao número Ω de Chaitin.

Preços de equilíbrio são não calculáveis

Como dissemos, "preços não calculáveis" significa preços para os quais não existe um algoritmo, um programa de computador, que, em geral, possa sempre calculá-los. Situações particulares podem ser computáveis, mas o algoritmo usado num caso particular não se estende ao caso geral.

Um exemplo: sejam d' e d'' duas funções demanda para certa mercadoria e seja s a função oferta. Então:

$$d = \theta d' + (1 - \theta) d''$$

é uma função demanda, mas como não temos algoritmo para calcular o valor de θ (que é 0 ou 1, mas não se sabe em geral calcular qual dos dois valores), não sabemos nunca os valores de d e não podemos calcular, no caso geral sempre, os preços de equilíbrio ao fazer a interseção com a curva de oferta s.

Esse é um exemplo simples. Podemos conceber outros bem mais complicados: podemos construir uma curva de demanda d tal que, num sistema axiomático razoável, só podemos provar sobre d que se trata de uma curva de demanda e mais nada. Mas vamos considerar agora um exemplo famoso, que serviu de base à prova de Arrow e Debreu em seu artigo original, o equilíbrio de Nash. E vamos mostrar que esse conceito, no caso geral, é igualmente incalculável.[3]

---

[3] Baseamo-nos ainda em *Comunicação*, op. cit.

Jogos

Vamos dar uma ideia superficial, sucinta, do que seja um jogo:

- Um jogo tem jogadores ou participantes.
- Um jogo tem estratégias, para cada jogador. E podemos considerar que o jogo se realiza numa só jogada, para cada um dos jogadores: nessa jogada jogam esses, de uma só vez, tudo o que fariam ao longo do jogo.

Ao fim do jogo, tal função dá os ganhos ou perdas dos participantes do jogo. É o resultado do jogo.

Usamos também estratégias mistas: quando um jogo é jogado um número muito grande de vezes, uma estratégia mista, para cada jogador, será a média das estratégias utilizadas em cada instância do jogo, em cada partida.

- Um jogo tem ganhos (e perdas) que se descrevem numa função "ganhos", ou "utilidade", para o jogo.
- Um jogo é competitivo ou não cooperativo se não se permitem associações entre os jogadores.
- Um equilíbrio de Nash é um resultado para o jogo tal que se o jogador *A* ganha *p*, nada que qualquer dos outros participantes possa fazer piora seu resultado.

O resultado de Nash[4] é:

---

[4] Ver todas as publicações científicas de Nash em: H.W. Kuhn e S. Nasar, *The Essential John Nash*, Princeton University Press, (2002).

Todo jogo não cooperativo possui um equilíbrio de Nash

Vamos esboçá-lo. Nossa linguagem vai ser técnica. Mas o essencial já está dito. Basta acrescentarmos que todo mercado competitivo pode ser visto como um jogo, no qual os consumidores maximizam suas satisfações e os produtores, seu lucro — tudo isso sintetizado na função utilidade para o jogo. Arrow e Debreu mostram que a solução de Nash para o jogo corresponde aos preços de equilíbrio.

Provaremos que para jogos associativos sempre existem equilíbrios de Nash. Primeiro precisamos definir formalmente o que é um equilíbrio de Nash:

Seja u o ganho de cada um dos participantes de um jogo em função das estratégias escolhidas. Representemos por $s = (s_i,...,s_n)$ *o vetor das estratégias de um jogo com n jogadores. Seja enfim* s_i *a melhor resposta, por parte de um jogador, à escolha das estratégias* $s-_i$.

A escolha de estratégias s* é um equilíbrio de Nash *se e somente se, para cada jogador i no jogo,* $u(s^*-_i, s^*-_i) \geq u(s_i, s^*-_i)$.

Consideraremos agora jogos em que o conjunto das estratégias é infinito e é um conjunto *convexo*. Damos uma intuição do que seja um tal conjunto: no plano, se uma reta corta um conjunto *convexo*, corta-o apenas em dois pontos. Pense num círculo, como exemplo. Se o conjunto é *côncavo* (uma meia-lua), uma reta poderá eventualmente cortá-lo em quatro pontos. E uma função de uma variável é *côncava* quando ela tem uma só "barriga" e essa se volta para cima. (Tecnicamente, quando sua derivada segunda é negativa.) Então:

Um jogo não cooperativo é normal e côncavo quando o conjunto das estratégias de cada jogador é um conjunto fechado, limitado e convexo e quando para cada jogador a função dos ganhos u (s) é côncava.

(Um conjunto no plano é *limitado* quando podemos encerrá-lo dentro de um quadrado suficientemente grande; um conjunto é *fechado* quando sua fronteira está no próprio conjunto: um círculo mais sua circunferência.)

Primeiro vejamos:

Se um jogo é côncavo e normal, então esse jogo possui ao menos um equilíbrio em estratégias puras.

Prova: Consideramos o caso de dois participantes, X e Y. Vamos supor que as estratégias correspondentes, x e y, são tomadas no intervalo fechado [0,1]. X ganha $X(x,y)$ (se escolhe a estratégia x, enquanto Y escolhe y), e Y ganha $Y(x, y)$.

O interesse é extremalizar os ganhos. Consideremos o caso do primeiro jogador: do valor da derivada em relação a x que extremaliza seus ganhos, $X_x (x, y) = 0$, tiramos a condição $x^* = f^X (y)$, que mostra a relação entre as estratégias de X e de Y para que X tenha um ganho extremalizado. Ora, para o segundo jogador, calculando $Y_y(x, y) = 0$, tiramos a relação $y^* = f^y(x)$ para que agora Y extremalize seu ganho. Existem estratégias comuns para essas escolhas simultâneas?

Considere a função $g(x, y) = (x^*, y^*)$. As escolhas coincidem se e somente se $g(x^*, y^*) = (x^*, y^*)$, ou seja, se g tiver um ponto fixo. Aplicamos então o teorema de ponto fixo adequado (no caso, o teorema de Kakutani) e concluímos que há um equilíbrio em estratégias puras.

Esse raciocínio se generaliza fácil para o caso de n participantes

$$X_1, X_2, X_3, \ldots$$

do jogo. Na generalização, a função g aplica n variáveis em n variáveis e $f^1, f^2, \ldots$ relacionam, cada, as estrategias $x^1, x^2, \ldots$ às restantes.

Daí concluímos:

Todo jogo com n participantes, competitivo, com estratégias mistas, possui um equilíbrio de Nash.

Prova: O conjunto das estratégias mistas é convexo, de modo que podemos aplicar o resultado anterior.

Pronto! Fim do tecnicismo.

O FETICHISMO DAS MATEMÁTICAS

Alain Lewis, Marcelo Tsuji

A melhor referência para os artigos de Alain Lewis é a coletânea de Vela Velupillai[5] sobre economia e computabilidade. Os resultados de Lewis — que Lewis discutia comigo de madrugada, nas horas em que os gatos são pardos — dizem respeito à teoria dos jogos, associativos e não associativos.

Para jogos não associativos, competitivos, seu resultado é:

Suponhamos que um jogo não associativo seja descrito computacionalmente (haja um programa de computador que descreva as ações, ganhos e perdas dos participantes). Então o equilíbrio de Nash, embora exista sempre, é, no caso geral, não computável.

Ou seja, mesmo que tudo seja formulado através de programas de computador, não existe uma regra geral de cálculo para o equilíbrio de Nash (pode haver, sim, soluções particulares, mas sem que possamos reuni-las num algoritmo geral).

Nosso resultado com Tsuji engloba o resultado de Lewis, que o motivou e inspirou. No nosso caso, consideremos dois jogos com os mesmos participantes e funções utilidade *u'* e *u"*. Então, um terceiro jogo, competitivo, com os mesmos participantes e utilidade:

$$u = \theta u' + (1 - \theta)u"$$

---

[5] K.V. Velupillai et al., *Computable Economics*, Edward Elgar Eds. (2011).

terá um equilíbrio de Nash não computável. Foi essa expressãozinha modesta que Marcelo Tsuji me mostrou, junto do café da USP, no andar da Filosofia. Legítimo e criativo *Café Philo*.

Portanto, mercados competitivos têm sempre preços de equilíbrio. Só que não computáveis, no caso geral. Ou seja, não conseguimos, com modelos matemáticos, dizer se um mercado atingiu ou não o equilíbrio. Os mercados podem ser sábios e inteligentes, mas preferem guardar para si seus segredos.

Mais precisamente: se o jogo é descrito sem o uso da linguagem matemática usual, apenas números, como num jogo de contas quaisquer, que crianças estejam jogando nalgum quintal, podemos em geral calcular seu equilíbrio de Nash. Mas jogos com milhares de participantes, mercados realistas de igual tamanho, não se deixam descrever de forma tão simplificada. Usa-se a linguagem da análise clássica e com ela introduzimos no mundo de nossa teoria todas as indecidibilidades e incompletudes que nos foram anunciadas pela lógica matemática.

4. PARA QUE POETAS?

NA ANTIGA ESCOLA NACIONAL DE QUÍMICA, no Rio, reservava-se uma semana no meio do ano para realizar uma *open house*, quando seus laboratórios, que ficavam na Praia Vermelha, eram visitados pelos garotos e garotas dos colégios das redondezas. E, para essas visitas, preparava-se sempre, nalgum laboratório, alguma geringonça à moda de Rube Goldberg:[1] um aparelho cheio de balões, tubos, líquidos coloridos borbulhando. Era o "impressionômetro".

Pois, honestamente, me pergunto agora se a matemática, aplicada na economia, não é também algum impressionômetro, no qual a sopa de letrinhas do argumento matemático, na verdade, mascara alguma realidade, mais do que a revela. Será? Penso nisso depois dos resultados que expus, resultados para os quais contribuí e cujo significado me deixa, ainda, perplexo. Será que apontam para o rubegoldbergeanismo da matemática em economia?

Penso nisso, ainda, porque me lembro de John Maynard Keynes (1883-1946). Grande matemático — suas ideias sobre a teoria da probabilidade influenciam até hoje

---

[1] Veja na Wikipedia o link para o que sejam tais máquinas: http://en.wikipedia.org/wiki/Rube_Goldberg_machine.

o desenvolvimento de tal disciplina —, escreveu *General Theory of Employment, Interest, and Money* sem o recurso de argumentos matemáticos complexos. Dá no que pensar.

É necessária a matemática, a artilharia matemática pesada que esbocei ao longo de todo este texto, na análise dos fenômenos econômicos?

Responda você. Eu calo minha boca.

FAD

PARTE III Metas e mitos

Pai, afasta de mim esse cálice!

Chico Buarque/Gilberto Gil

Os economistas clássicos escreviam muito bem. Tinham a justa preocupação de ser entendidos não só pelos iniciados, mas também pelo homem e pela mulher de senso comum. Abra *A riqueza das nações*, de Adam Smith, o fundador da economia política: é uma verdadeira maçaroca, mas você entende tudo, da primeira à última página. O mesmo acontece com os *Princípios*, de David Ricardo. Ou com *O capital*, de Karl Marx. Ou ainda com o magistral texto de Lord Keynes, fundador da macroeconomia, *Teoria geral do emprego, do juro e da moeda*: desconcertantemente claro.

Metas hieroglíficas

Suponhamos agora que você vá ao site do Banco Central procurar alguma coisa sobre "metas de inflação". Como cidadão ou cidadã comum, você sabe que o chamado "modelo de metas da inflação" é o alicerce da política monetária brasileira, compondo uma espécie de santíssima trindade da política econômica juntamente com o câmbio flutuante e o superávit primário nas contas públicas. Apesar dessa centralidade do "modelo de metas" na condução da economia e da própria vida no Brasil, o que você encontra no site é uma nota técnica, datada de início da década, em inglês.

É assinada por Joel Bogdanski e colaboradores, tendo por título "Implementing Inflation Targeting in Brazil", ou seja, Implementando um Regime de Metas de Inflação.[1] Tente lê-la: é impenetrável, mesmo para quem não tem problema com o inglês; simplesmente inacessível ao leigo. Entretanto, se você é teimoso, depois de uma leitura cuidadosa — na verdade, depois de uma leitura esforçada e muito cuidadosa — descobre o ponto culminante da argumentação dos autores, a equação (IX) na página 24.

Não vamos reproduzi-la aqui porque não diria nada para a maioria dos leitores. Ou melhor, vamos, sim, reproduzi-la e tentar dissecá-la.

Pavão misterioso

Ei-la, exposta *in totum*:

$$i_t = (1 - \lambda) i_{t-1} + \lambda \alpha_1 (\pi - \pi^*) + \alpha_2 h_t + \alpha_3.$$

---

[1] Disponível em: www.bcp.gov.br/pec/wps/ingl/wps01.pdf.

Aqui:

- i_t refere-se à taxa de juros no instante t (t, por exemplo, pode ser o mês de setembro de 2011). i_{t-1} refere-se ao período imediatamente anterior (no nosso exemplo, agosto/2011).
- π é o logaritmo da inflação e π^*, o logaritmo da meta de inflação.
- α_1, α_2, α_3 são constantes que se ajustam.

Essa equação é uma regrinha de três, na qual se diz que o valor que representa a taxa de juros, i_t, é diretamente proporcional ao valor correspondente no período anterior (a menos de um logaritmo e de uma potência) e também diretamente proporcional à diferença entre a inflação estimada no período e a meta de inflação (*idem ibidem*). Tudo bem, uma regra de três, na essência. Mas, falando francamente, e relevando-se a obscuridade da equação acima para o leigo, será que não é legítimo usarmos, sim, uma regrinha de três, modesta e utilíssima conta que o verdureiro de antanho da esquina sabia usar tão bem, no cálculo da inflação? Será que, salvo o aspecto de pavão misterioso — para o leigo, sempre — da fórmula do regime de metas, não estamos fazendo um cálculo legítimo, como bem o sabia e operava o nosso provecto verdureiro?

Regras de três como aproximações de fenômenos complicados são de uso corrente em física e química. Chamam-se "aproximações lineares longe de pontos singulares para curvas diferenciáveis", eis seu nome técnico. Em casos práticos, surgem nas seguintes circunstâncias: temos algum processo cuja representação gráfica é uma nuvem de pontos. Você olha aquilo e pensa, bom, vamos aproximar isso por uma reta — uma regra de três. Pega uma régua e tasca, no meio da nuvem de pontos, uma linha reta. Pronto!

Ou você pode usar técnicas mais precisas, como, por exemplo, métodos estatísticos de ajuste de pontos a uma reta que melhor os represente. Essa, a técnica. E o conteúdo?

Damos outro exemplo. Você quer escrever uma expressão matemática na qual se descreve a temperatura da sala, aquecida por uma lareira, numa cabana que está no meio de um campo nevado. Bom, podemos dizer que a temperatura, numa primeira aproximação, é diretamente proporcional ao número de achas de madeira que botamos para queimar no lume e inversamente proporcional ao número de vezes em que a porta da sala é aberta. Ainda que muito aproximadamente, garantimos que uma regra de três assim concebida vai dar resultados bem razoáveis. Assim a expressão das metas de inflação e juros.

Simples. Mas, um *caveat*; não funciona sempre.[2]

Monstrinhos

Considere uma curva de preços de alguma ação em bolsa. É uma curva toda quebradinha, como é quebradinho o contorno litorâneo de algum mapa. Teoriza-se que os preços na bolsa de valores tenham um comportamento *fractal*, isto é, sejam essencialmente quebradinhos mesmo.

---

[2] Exemplos de regressões lineares absurdas (mas que seguem os procedimentos técnicos habituais) se acham em C. Seife, *Proofiness: the Dark Arts of Mathematical Deception*, cap. 3, Viking (2010).

Nesse caso, uma aproximação linear é tecnicamente impossível de ser feita. E, notemos, a curva que desenha o movimento dos preços, através de algum índice, na economia mostra-se também como um fractal...[3]

Outros passes de mágica

No entanto, o conteúdo dessa equação que estivemos discutindo, e que não passa de uma regra de três elementar, muito singela para quem é do ramo, resume o funcionamento do regime de metas de inflação no Brasil: a taxa de juros que o Banco Central fixa é diretamente proporcional à expectativa de inflação. Já a expectativa de inflação é dada pelo mercado. Portanto, a taxa de juros que o Banco Central fixa é a taxa que o mercado quer. Elementar, meu caro Watson! Debaixo de toda a tecnicalidade matemática, depois da linguagem obscura e das ilações supostamente técnicas, o que temos é algo muito próximo de pura trivialidade.

Há outras coisas estranhas escondidas nas entrelinhas das equações. O chamado produto potencial, que aparece como um limitador do crescimento com estabilidade — e que, a partir de determinado nível, deve ser contido pela taxa de juros para não gerar inflação —, jamais poderia integrar o aparato matemático do modelo porque, a rigor, não pode ser medido. É simplesmente inferido. A própria curva de Phillips, que relaciona desemprego e inflação, ali

---
[3] Não vamos discutir aqui as técnicas usadas para determinarmos tendências, isto é, movimentos aproximados de larga escala e de longo prazo.

usada, está longe de ser teórica ou estatisticamente incontroversa. Ou seja, estamos diante de uma construção matemática totalmente arbitrária, entrecruzando variáveis com relações frágeis ou inexistentes.

Na verdade, por trás dessa discussão está uma questão maior: será que tem sentido usarmos uma linguagem matemática muito sofisticada em economia? Não seria a economia uma ciência — porque é uma ciência, sem dúvida — essencialmente empírica, mais para análises comparativas do que para algo que dependa de teoremas e de grandes construções matemáticas? A matemática, na física e na engenharia, serve para prevermos o futuro e descrevermos com precisão o comportamento de corpos em movimento, a confiabilidade de grandes construções e similares.

No entanto, ainda que se baseando num aparato matemático impressionante, as previsões de economistas têm a confiabilidade das previsões de astrólogos — vale lembrarmos o caso de Myron Scholes, que recebeu o Nobel em 1997 por sua descoberta (ou invenção) da equação que descreve o comportamento dos derivativos financeiros e cujo fundo de investimentos foi para o buraco nesse mesmo ano, com toda a matemática subjacente!

De volta às metas

Ah, sim, dirão que o modelo de metas de inflação no Brasil está dando certo. É um equívoco. Um caso clássico de inversão de causalidade. Não é o modelo de metas que está garantindo uma inflação baixa, é a inflação baixa que está dando credibilidade (injustificada) ao modelo de metas. Os preços têm se comportado bem, no Brasil, por duas razões básicas: pelo fim da indexação generalizada de salários e preços, hoje limitada a um pequeno conjunto de preços administrados (principais responsáveis pela inflação residual); e pela valorização do câmbio, induzida pela alta taxa de juros. Se olharem a série histórica desde que o modelo foi adotado em 1999, verão que ele falhou justamente quando mais se precisou dele, na mudança de governo de 2002 para 2003.

E o que é a inflação?

A inflação é um animal ambíguo, nem totalmente monetário, nem totalmente ligado a movimentos de preços (custos). O modelo de metas considera apenas o aspecto monetário, com um tremendo viés pelo aumento da taxa de juros, a que se recorre como instrumento único de controle, independentemente da causa do aumento de preços. Com isso, o efeito da política monetária consiste em manter permanentemente travado o crescimento do produto, sob o argumento da estabilidade, exceto quando um fator externo (alta da demanda e dos preços das *commodities*) interfere a favor da expansão da economia. É algo totalmente inconsistente para um país como o Brasil, com todo o seu potencial chinês de crescimento.

Uma política econômica de estabilidade consistente mudaria as metas da santíssima trindade para: política monetária de juros baixos favorável ao crescimento e ao pleno emprego, política cambial administrada ligeiramente favorável às exportações e política fiscal moderadamente deficitária enquanto perdurasse o alto desemprego. Continuaríamos tendo por meta uma inflação baixa, mas isso não significaria subordinar a política monetária a um modelo matemático que, absurdamente, se presume infalível. Uma política de combate à inflação de custos (a começar pelos preços administrados) é muito mais eficaz, e menos penosa para a sociedade, do que uma política que derruba a economia ante qualquer sinal de aumento de preços, mesmo quando sazonal e, portanto, reversível.

Numa obra monumental sobre as revoluções de preços ao longo da História, *The Great Wave*, o historiador econômico norte-americano David Fischer traça o percurso da inflação mundial desde o século XIII, identificando a interação entre o movimento dos preços e as forças econômicas, sociais e políticas subjacentes. É uma lição incontestável a respeito da multiplicidade dos fatores que podem estar por trás de um processo inflacionário. Citarei oito, acrescentando aquele que é tipicamente brasileiro:

1. inflação de custos;

2. inflação de demanda;

3. inflação por insuficiência de oferta;

4. inflação de origem cambial interna;

5. inflação de origem externa;

6. inflação de caráter especulativo;

7. inflação monetária;

8. inflação por indexação legal dos preços.

É preciso ter uma suprema audácia para reduzir todos esses fatores, em quaisquer circunstâncias, em qualquer tempo e em qualquer lugar, a um só, a inflação de demanda, e fazer disso uma única equação matemática. Mas é justamente isso que acontece com o modelo de metas. E acontece por duas razões intercaladas: primeiro, porque a inflação de demanda, tratada com elementos teóricos da inflação monetária, é a única que vale a pena matematizar de uma forma que ninguém entende fora do círculo íntimo dos ganhadores. Segundo, só um argumento fetichista não inteligível pelo homem comum é capaz de justificar para o povo uma forma de combate à inflação que lhe inflige os maiores prejuízos, sobretudo o desemprego e subemprego, e a queda do nível de bem-estar, em proveito de uns poucos. Formas alternativas de combate à inflação, a partir da identificação de sua natureza real, são muito mais efetivas. Comecemos pela mais complicada delas do ponto de vista político: uma inflação de custos determinada pelo acionamento da espiral preços-salários. Isso só se resolve com um pacto entre trabalhadores e patrões, o que é complexo, mas funcionou muito bem nos países social-democratas da Europa durante décadas. Seja a inflação por insuficiência da oferta, por exemplo, uma quebra de colheitas: é necessário se preparar para isso recorrendo a estoques reguladores de produtos agrícolas.

Tome-se a inflação cambial: se a origem é um forte fluxo de entrada de recursos estrangeiros, recorre-se ao controle de capitais; se a origem é um desequilíbrio em conta-corrente por força de elevados déficits comerciais, adota-se um temporário controle de importações. Tome-se uma inflação de origem externa: não há nenhuma solução mágica para isso, exceto paciência para esperar que os preços internacionais caiam; num mercado competitivo, isso acontece cedo ou tarde. De qualquer modo, não será pelo aumento da taxa de juros que isso se resolverá.

Se a inflação é de caráter especulativo, o governo deve jogar pesado nos controles temporários de preços. Se a inflação é de origem monetária, significa a presença de um grande déficit orçamentário numa situação de plena ocupação da capacidade produtiva. Esse caso se confunde com inflação de demanda e é o único que justifica um aumento moderado da taxa de juros simultaneamente com a correção do déficit fiscal. Entretanto, no caso da economia brasileira, isso acontece só muito raramente, na medida em que a presença crônica de altos níveis de desemprego e subemprego indica capacidade ociosa no mercado de trabalho, estimulante do aumento da capacidade produtiva.

Mais inflação

Finalmente, a inflação por indexação. A sociedade brasileira foi solenemente informada, duas vezes, de que a indexação — um processo que transmite a inflação passada, automaticamente, para o futuro — havia acabado: no

Plano Cruzado e no Plano Real. Isso é falso. O Cruzado manteve a indexação dos salários, só que anual (o gatilho de 20%); o Real manteve indexada a maioria das tarifas públicas. Trata-se de um embuste. Por que a tarifa de energia elétrica deve ser elevada de acordo com o aumento do preço do chuchu? É claro que se trata de áreas monopolistas reguladas, que não podem ter liberdade de preços e, portanto, devem gozar de algum mecanismo de preservação de sua margem de lucro. Isso se faz, mais coerentemente, pelo método da tarifa pelos custos: verifica-se o aumento proporcional dos custos e autoriza-se um aumento compensatório das tarifas. Com isso, quebra-se a espiral da indexação.

Por outro lado, mesmo economias que não têm indexação formal operam com indexação informal: o vizinho que vê o outro aumentar os preços tenta aumentar também os seus, se houver mercado, mesmo que seus custos não tenham se elevado. Para reduzir os efeitos desse tipo de indexação subjetiva, muitos países, inclusive os Estados Unidos, usam o conceito de núcleo de inflação (*core inflation*): a inflação oficial não cobre todos os preços, mas deixa de lado aqueles sujeitos a fatores sazonais (preços agrícolas, preços de combustíveis). Contudo, quando o ministro da Fazenda, Guido Mantega, mencionou recentemente a possibilidade de adoção de um mecanismo semelhante no Brasil, foi tão estridente a reação dos beneficiários da economia indexada, vocalizada pela grande mídia, que ele recuou assustado.

Quase concluindo

Naturalmente que todos esses processos de controle inflacionário demandam iniciativas governamentais específicas que não podem ser reduzidas a uma fórmula matemática. Entretanto, a estética matemática dá a seus formuladores tecnocráticos uma superioridade política sobre os próprios políticos profissionais, que ficam intimidados pelo discurso obscuro. Se falarem mal da alta taxa de juros, têm medo de serem chamados de "populistas". Pior ainda é o espantoso silêncio em relação a esse charlatanismo por parte da grande maioria da comunidade acadêmica e dos economistas em geral. Assim, não admira que, com raríssimas exceções, as decisões do Copom, o corpo tecnocrático do Banco Central que fixa a taxa de juros, sejam geralmente unânimes. Como seria diferente quando a decisão precisa é tomada por uma fórmula matemática produzida por uma máquina, sem questionamento humano?

E deflação é pior

O oposto da inflação, aumento generalizado de preços, é a deflação, queda generalizada de preços. É algo contraditório e não intuitivo para o senso comum, mas o capitalismo pode conviver com e eventualmente se beneficiar de uma inflação moderada, mas não pode suportar a deflação. A razão é simples: se os preços estão subindo, sempre é possível manter ou mesmo expandir a produção na expectativa de preservar a margem de lucro, na medida em que, mesmo que os próprios custos aumentem, há um incentivo a investir porque os preços poderão correr na frente. Já a deflação é mortal para o processo produtivo: qual seria o incentivo para produzir se os preços no futuro evoluírem abaixo dos custos, estreitando as margens de lucro?

A deflação, e não a inflação, foi a grande vilã da Grande Depressão dos anos 1930 e não é uma ameaça inteiramente afastada do cenário econômico na atual crise. Mais do que isso, uma inflação moderada pode ser benéfica para o crescimento da economia. Entretanto, um país que passou pela experiência catastrófica de uma hiperinflação, como a Alemanha dos anos 1920, carrega ainda hoje um trauma justificado, uma vez que a hiperinflação significa o colapso financeiro total do Estado e das poupanças privadas.

A hiperinflação brasileira dos anos 1980 não produziu um colapso da economia. O mesmo expediente que a alimentava, a indexação, mitigava parcialmente seus efeitos. Por isso, a sociedade brasileira foi tão tolerante com a inflação durante tanto tempo. Agora que a indexação em grande parte foi removida, sobretudo a salarial, a tolerância com a hiperinflação certamente seria menor. É justo, pois, que líderes políticos como Lula e Dilma Roussef coloquem a inflação como principal prioridade na política econômica, pelos seus efeitos nas classes baixas. Não somos contra isso. Também achamos que uma inflação baixa é uma exigência silenciosa do povo. Contudo, estamos em profundo desacordo em relação ao método de combate à inflação adotado pelo Banco Central. Ele usa em altas doses um remédio capaz de matar o doente, na forma de taxas de juros exageradas, que travam o potencial de crescimento da economia e espalham desemprego e subemprego na sociedade.

JCA E FAD

PARTE IV O fim e o novo começo

UMA NOVA ORDEM EMERGE DO COLAPSO DA IDADE MODERNA

Começou a circular o Expresso 2222
Da Central do Brasil
Que parte direto de Bonsucesso
Pra depois do ano 2000

GILBERTO GIL

Tese

O TEMPO DA LIBERDADE individual incondicionada está chegando ao ocaso na civilização ocidental. Na oriental, é provável que nunca tenha existido. Foi o produto da combinação de várias revoluções no início da Idade Moderna, desde a revolução científica a partir de Galileo Galilei até a revolução política de cidadania limitada na fundação dos Estados Unidos e da República francesa, promovendo a liberdade dos servos em face do feudo e dos artesãos em relação às corporações de ofício e levando, na esfera econômica, ao primado do capital no curso da revolução burguesa. Um longo intervalo de tempo transcorreu entre os momentos iniciais desses impulsos libertários até sua fixação como paradigmas da ordem civilizatória no Ocidente. E é justo, no momento em que esses paradigmas parecem cristalizados como padrão universal, que eles colapsem, a partir da economia, no alvorecer de uma nova Idade.

A influência nas últimas três décadas do neoliberalismo, expressão mais acabada da liberdade incondicional do capital, não se limitou à economia. Assim como aconteceu nos dois séculos anteriores com o velho liberalismo, até a Grande Depressão, sua influência pervasiva penetrou fundo na política, na geopolítica e na moral, abarcando as estruturas centrais da civilização. Na medida, porém, em que entra em colapso na esfera econômica, é toda a antiga estrutura civilizatória que desaba. No cerne desse processo está o princípio da liberdade individual ilimitada, cuja projeção mais perversa, na ordem econômica e política, é a liberdade econômica irrestrita de degradar o meio ambiente e de provocar a instabilidade financeira global com os movimentos especulativos dos fluxos financeiros, assim como a liberdade ilimitada dos Estados de fazer a guerra para dirimir seus conflitos de interesses.

Entre as duas fases do liberalismo econômico irrestrito, desde a Grande Depressão dos anos 1930 à ressurgência liberal na forma de neoliberalismo, prevaleceu o capitalismo regulado, como reação ao desastre liberal da depressão e dos horrores da Segunda Guerra Mundial. Daí resultou a construção, na Europa Ocidental e, parcialmente, nos Estados Unidos, do Estado de bem-estar social. Esse período ficou conhecido como a Era de Ouro do capitalismo, combinando liberdade individual (e empresarial) regulada e um progresso social que ergueu os países industrializados, e muitos em desenvolvimento, ao estágio mais elevado da civilização, em parte transbordando também para o bloco socialista. A recidiva do liberalismo foi o resultado de um contexto político, geopolítico e moral que, tendo em parte sido um produto da economia liberal, sobreviveu à sua primeira derrocada.

A derrocada atual, porém, parece definitiva em termos objetivos. Toda a ordem moral e política do neoliberalismo colapsou em face da necessidade de um Estado intervencionista e atuante na ordem econômica. Além disso, desapareceu a principal razão geopolítica pela qual o neoliberalismo foi manipulado ideologicamente como instrumento de rendição da antiga União Soviética na Guerra Fria. O conteúdo semântico em inglês do termo liberal, que tem um sentido democrático nos Estados Unidos e de liberdade de mercado na Europa, passou a ter menos espaço para mascarar, de forma ambígua, programas políticos que, como no projeto de Constituição europeia, põem em pé de igualdade direitos humanos e autorregulação dos mercados.

É que a ambiguidade do conceito de liberal, ora significando democracia, ora mercado, possibilitou à ideologia imperial norte-americana desafiar ao mesmo tempo os soviéticos e o Estado de bem-estar social europeu. Sua vitória, mesmo que momentânea, foi inconteste. A União Soviética acabou e a Europa construiu um projeto de união ancorado firmemente nos valores do mercado livre e da autorregulação, envergonhada de seu Estado de bem-estar social. O ponto máximo foi a instituição de um banco central independente da política fiscal, pelo qual se criou a primeira moeda sem Estado em toda a história. A marcha do mercado sobre a democracia não pararia aí. Mas, quando se tentou cristalizá-la numa Constituição comum, França e Holanda recuaram em nome de longínquos valores socialistas. A situação jurídica da Europa ficou indefinida até que, por um truque tecnocrático, o Tratado de Lisboa fixou os parâmetros da ordem neoliberal europeia, subordinando o cidadão ao aplicador financeiro.

Visitemos a História, a mãe de todas as ciências, segundo Cícero. A liberdade individual, embora limitada, era um privilégio das elites dominantes gregas e romanas. Na Grécia, escravos, metecos e estrangeiros estavam privados da liberdade política. Quanto aos cidadãos, sua liberdade estava condicionada apenas à obrigação política do serviço da cidade e ao culto aos deuses. Assim mesmo, tratava-se de uma restrição à liberdade incondicionada, sancionada no plano moral. Também em Roma a liberdade política era privilégio de cidadãos, ou patrícios, sujeitos igualmente ao código moral de culto aos deuses e defesa da cidade e, mais tarde, do Império. Portanto, mesmo para as classes dominantes dessas grandes civilizações ocidentais, não havia o conceito da liberdade individual irrestrita.

Os escravos e os socialmente excluídos rendiam sua liberdade aos cidadãos e patrícios; cidadãos e patrícios, aos deuses e à superstição e, eventualmente, ao rei ou imperador. Na Idade Média, depois do decreto de Diocleciano, no século III, os camponeses ficaram subordinados aos feudos como servos, e os profissionais às corporações de ofício como artesãos subordinados ao mestre. Era um sistema similar, porém menos complexo, ao sistema de castas indiano, também na sua origem milenar, instituído como especialização profissional no organismo social. Com isso, ampliou-se a escala dos privados de liberdade, na medida em que os feudos se expandiram e absorveram terras comunais. Já os senhores feudais ocidentais se legitimavam mediante submissão à Igreja de Roma e, fracamente, ao rei.

O papa, em tese, era o único homem livre, nas duas Idades Médias: subordinado apenas a Deus, era quem lhe interpretava a vontade, tendo-se atribuído infalibilidade em questões de fé. Os próprios reis eram legitimados pela autoridade papal, embora, na prática, tenha havido papas rivais e até prisioneiros de reis. De qualquer forma, toda a ordem política, social, religiosa e moral era imposta de cima para baixo como efetiva restrição de liberdade não só dos cidadãos comuns, mas também de nobres. A religião era pervasiva, o mais poderoso instrumento de coação social a serviço dos reis legítimos e dos senhores feudais. Nesse sentido, desde a Antiguidade até a Baixa Idade Média, a civilização ocidental se caracteriza como um tempo de estrangulamento da liberdade individual.

Antítese

Esse quadro virtualmente congelado durante séculos começou a ser subvertido por Galileo Galilei no século XVII e foi finalmente explodido pela Revolução Francesa no século XVIII. Galileo deu início à retirada de Deus dos processos físicos. A Revolução Francesa tirou Deus, e seus reis ungidos pela Igreja, dos processos políticos. Mas não foi uma única revolução libertária, junto com a Revolução norte-americana. Foram várias, simultaneamente: a dos servos contra a nobreza rural, a da nobreza rural contra o rei, a dos trabalhadores urbanos contra a burguesia, a da burguesia contra o feudalismo e a de todos contra o rei e a Igreja. E foi, sobretudo, a revolução dos intelectuais contra a ordem política, moral e clerical autoritária.

A secularização da ciência esteve na gênese dos processos libertários. Se a ordem autoritária provinha da revelação e dos desígnios de um deus, só matando Deus, como reivindicaria Nietzsche mais tarde, tornar-se-ia possível alcançar a liberdade nos aspectos essenciais da existência humana. Seria, porém, uma morte lenta, atenuada por compromissos. Os grandes físicos que iniciaram a revolução da astronomia, Copérnico, Galileo e Kepler, e finalmente Newton, não renegaram Deus. Mudaram, porém, sua natureza. Tornou-se um deus que agia por meio de leis físicas — criador dessas leis permanentes, sim, mas que deixava espaço para a iniciativa humana na organização da vida secular.

A primeira grande contribuição da astronomia à libertação da razão humana foi a revolução copernicana, ao deslocar a Terra de sua posição no centro do universo e colocá-la no lugar próprio, a órbita do sol. Galileo expandiu esse conceito ao encontrar no sistema solar mundos parecidos com os nossos, com muitas luas, e por isso mais majestosos, os quais, por efeito da especulação livre, poderiam abrigar outras formas de vida, talvez até semelhantes às nossas. Kepler demonstrou que as órbitas dos planetas eram elípticas, sepultando a crença tradicional de que só órbitas perfeitamente circulares estariam à altura da criação de um deus todo-poderoso.

Newton, o maior físico da Idade Moderna até Einstein, mostrou que as órbitas dos astros eram quase exatamente previsíveis por meio de fórmulas matemáticas que embutiam o conceito experimental de gravitação. Seu sistema era tão elegante e racionalmente tão poderoso, que o astrônomo francês Laplace, tempos depois, teria resumido para Napoleão o estado de espírito na ciência avançada na época: Deus é uma hipótese desnecessária. Na verdade, porém, ainda era. Se as leis físicas governavam o mundo, continuava havendo lugar para um criador das leis físicas. A questão passava a ser outra, isto é, se Deus criou o mundo e o deixou evoluir por conta própria ou se é um Deus benevolente que acompanha o homem em sua jornada na Terra e o julga depois da morte e, portanto, o limita. O caráter metafísico da questão implica a virtual impossibilidade de sua solução pela ciência.

Foi a reforma de Lutero e de Calvino que criou espaço para um compromisso entre a visão científica e a visão religiosa no campo político, não obstante o caráter sectário que o protestantismo manteria no campo religioso, por sua insistência, até hoje, na interpretação literal da Bíblia. Ao contestar, porém, a hierarquia católica e sua exegese bíblica no início da Idade Moderna, os protestantes (hoje, evangélicos) fizeram da interpretação pessoal da Bíblia a pedra angular de sua fé. Isso tinha um sentido libertário na dimensão social e política da época, tanto que foi a base dos grandes movimentos migratórios da Europa para a América do Norte em busca de liberdade religiosa e como reação à opressão política a ela associada, do que resultou um impulso poderoso ao capitalismo liberal nascente.

A reforma não seria o único exemplo dos complexos mecanismos de ação e reação — tese, antítese e síntese — que constituem o motor da marcha civilizatória nos conceitos de Hegel e de Marx. Mas é ilustrativa das consequências na história que um movimento numa determinada direção acaba tendo sobre outras direções insuspeitas. Se levarmos em conta o que pensava Max Weber, a ética protestante foi fundamental na arquitetura da democracia, do capitalismo liberal e do progresso material da América do Norte. Desempenhou, pois, um papel libertário. E isso não pode ser deduzido diretamente de uma Bíblia lida de forma literal, pois ali, dependendo da interpretação, se encontra um deus legitimador das ordens autoritárias do passado. A democracia, nesse contexto, foi produto sobretudo da repulsa ao velho sistema feudal europeu e da busca da liberdade religiosa, e não, certamente, da busca da liberdade científica ou de mudança nas instituições sociais e políticas.

Com o acúmulo de evidências em favor da física, a Igreja Católica acabou buscando um caminho de composição, diferentemente da maioria dos evangélicos, muitos dos quais acreditam ainda hoje que o mundo foi criado no ano 4004 antes de Cristo, por dedução regressiva de eventos bíblicos. Mas não foi um caminho linear. Com Darwin, a biologia daria um salto quase tão alto quanto o da física de Galileo e de Newton. Agora já não era a

O FIM E O NOVO COMEÇO

Terra que não estava no centro do sistema solar, mas o homem que perdia sua dignidade metafísica de centro da criação e do universo. Era nada mais nada menos do que um elo no ciclo evolutivo que o situa como primo dos macacos contemporâneos e descendente de um ancestral comum primevo.

Os registros fósseis que punham o homem numa cadeia evolutiva de milhões de anos requeriam uma Terra suficientemente velha e um sistema solar igualmente antigo. A geologia e a física proveram também isso e no fim do século XIX podia-se afirmar com alguma segurança científica que a Terra tem cerca de 4,5 bilhões de anos e o Sol aproximadamente o dobro. Isso era compatível com o surgimento de condições para o aparecimento de bactérias primordiais por volta de três bilhões de anos atrás, conforme atestam os registros fósseis. Assim, embora a maioria dos cientistas do início do século XX acreditasse num Criador, mesmo que um Criador indiferente à sua criação, a ciência parecia satisfazer também aos que não criam, não obstante o enigma fundamental do aparecimento da vida, esse inexplicável em termos darwinistas. Para todos os efeitos, porém, mesmo entre os crentes, a ciência prescindia de Deus em seu campo específico, pelo que Deus, ou qualquer outro fator coercitivo, foi colocado totalmente à margem do progresso científico, que conquistou um estatuto de total liberdade de investigação.

A política, por sua própria natureza de instrumento de organização do poder nas sociedades, passou por um processo mais turbulento, desde a cidadania limitada emergente das revoluções americana e francesa até os dias de cidadania ampliada da segunda metade do século XX. Os grandes filósofos do Iluminismo, como Rousseau e Locke, assim como Thomas More, no plano literário, imaginaram sociedades em que o princípio da liberdade individual sse conciliava estreitamente com o respeito ao outro e a construção do interesse coletivo. Esse idealismo foi confrontado, em sua própria época, principalmente por Hobbes, para quem, se deixado livre, o homem tende inexoravelmente a tornar-se o inimigo do homem, pelo que a ordem social deve ser garantida por um Estado (monarca) com poder absoluto. É entre essas duas posições antagônicas que vai desenvolver-se a luta política nos séculos seguintes: a opressão da liberdade individual já não é mais oriunda de um rei com poder divino, mas de um Estado laico dominado por classes e estamentos sociais.

Contudo, a chama libertária das revoluções americana e francesa não se apagou. Na Europa, tomaria a forma ao longo do século XIX, chamado a Era das Revoluções por Eric Hobsbawm, de múltiplos movimentos socialistas e anarquistas, tendo por base os ideais da Revolução Francesa, em si mesmos contraditórios quando se coloca de um lado a liberdade (irrestrita) e, de outro, igualdade e fraternidade. Foi na convergência dos impulsos libertários com os avanços na área do conhecimento que Marx pretendeu estabelecer o socialismo científico, um futuro comandado pela razão sobre as bases do empirismo e do determinismo claramente vitoriosos na ciência. Eram, segundo ele, as forças reais dos intereses de classe e o conflito inexorável entre elas que levariam a uma forma superior de sociedade, na qual o individualismo exacerbado sucumbiria a uma forma finalmente justa de organização social e política igualitária, o comunismo.

Na história real, o socialismo que deveria levar ao comunismo liquidou as liberdades individuais e políticas, acabando por reconhecer, no confronto da Guerra Fria, seu próprio fracasso em termos de evolução tecnológica e de bem-estar dos povos aos quais foi imposto, assim como liquidou o próprio princípio de liberdade individual. O colapso melancólico da União Soviética marca o fim de uma ordem autoritária supostamente estabelecida pela razão política em nome de uma solidariedade forçada e a reafirmação a partir dos Estados Unidos, que logo se veria efêmera, da ordem liberal centrada no individualismo ilimitado.

Entretanto, se a razão política autoritária não conduziu o mundo para o socialismo ou outras formas solidárias de convivência social — estimulando seu oposto, na forma de individualismo exacerbado como ideologia transitoriamente hegemônica no mundo, o neoliberalismo —, as forças reais que movem a história estão conduzindo o mundo numa outra direção da razão política num nível superior. É nesse sentido que a liberdade ilimitada, sob a forma de individualismo irrestrito, pedra angular da Idade Moderna desde seu alvorecer, e com foco especial na economia política livre-cambista, entrou em colapso na atual crise financeira junto com seu oposto, o totalitarismo político. Abre-se efetivamente um novo tempo, uma nova era, uma síntese, uma nova idade: a Idade da Cooperação.

Síntese

A primeira característica dessa nova idade, no campo geopolítico, é a ausência de uma hegemonia imperial governando o mundo ou parte relevante dele. Trata-se de uma novidade em milênios, caracterizando uma situação intrinsecamente instável que mesmo um Henry Kissinger se recusa a reconhecer como definitiva. Contudo, isso não resulta de uma ação intencional ou de uma fraqueza de Barack Obama, presidente do único país que teria condições econômicas, militares e mesmo políticas de exercer o papel hegemônico. Se ele tem algum mérito, é justamente o de reconhecer que, no mundo objetivamente globalizado, e na presença de um grupo de nações com poder nuclear, não há solução para conflitos radicalizados entre os países de real importância geopolítica sem risco de sobrevivência para toda a humanidade. Claro, continua havendo espaço para conflitos localizados e para a afirmação de áreas de interesse estratégico das potências centrais. Contudo, sem as tensões ideológicas que caracterizaram a Guerra Fria, tendem a ser resolvidos pela diplomacia antes de um confronto catastrófico.

Obama não é o produtor da nova idade. É seu arauto. Os genes da Idade da Cooperação podem ser reconhecidos em pelo menos quatro aspectos da civilização, além da geopolítica, conforme procurei mostrar em *A crise da globalização*, antes mesmo da eleição de Obama. Estão presentes no imperativo de uma ação coordenada entre os países na questão ambiental, na questão da pesquisa genética e, sobretudo, na questão da superação da crise econômica. Além disso, há um evidente interesse coletivo na erradicação das causas do terrorismo e na sustentação da democracia como instrumento político básico da organização política dos povos, a fim de se escapar dos riscos coletivos inerentes à ação de eventuais governos dirigidos por líderes totalitários, com armamento convencional quase tão destrutivo quanto o atômico, que não têm de prestar contas a ninguém de seus atos.

A liberdade irrestrita de fazer a guerra e de deixar desregulada a economia em face da especulação financeira desenfreada e da degradação ambiental era uma projeção, no Estado, da liberdade individual ilimitada, sem consideração do outro. Também o era a liberdade de conduzir as economias nacionais independentemente de suas interações globais. O reconhecimento da exaustão desses paradigmas exibe as características de uma dialética histórica inexorável, na medida em que foi a busca de realização de interesses individuais exacerbados que produziu a globalização objetiva, sendo justamente a globalização objetiva, ao estabelecer interconexões entre os países, que força a emergência de um paradigma de cooperação também como um imperativo de busca do bem-estar social e da própria sobrevivência da espécie.

A força dinâmica por trás desses processos é a democracia de cidadania ampliada, um produto contraditório do pós-guerra e da própria Guerra Fria, por oposição a uma democracia de cidadania limitada, no passado, ou a democracia alguma que prevaleceu no mundo socialista real até metade do século XX. A democracia de cidadania ampliada é uma expansão da democracia elitista primordial dotada de um mecanismo inerente de controle, que é a liberdade individual do outro. E é a democracia de cidadania ampliada, por essa característica, que faz da cooperação um instrumento objetivo de realização dos interesses concretos das massas e dá à cooperação um caráter objetivo, não idealista. No campo econômico, por exemplo, não se verão grandes mobilizações sociais propondo a cooperação, mas se verão movimentos de massa exigindo mudanças na condução da economia possíveis somente com a cooperação entre os países e dentro dos países. No campo geopolítico, a guerra já não será uma decisão de elites dirigentes, justificada por expedientes de manipulação dos povos, mas terá de levar em conta os sentimentos desses, que empurrarão seus dirigentes para soluções negociadas, só realizáveis na prática mediante um processo de cooperação.

É, pois, o jogo dialético histórico, e não apenas apelos morais, que empurra a civilização rumo a um novo paradigma ancorado no princípio da cooperação. Se a liberdade individual irrestrita foi o paradigma basilar da Idade Moderna, e se a liquidação da liberdade em nome da busca da igualdade foi seu contraponto dialético ao longo do último século, o esgotamento desse paradigma, por razões concretas, e não por razões morais ou idealistas, ocorre no justo momento em que se erige um novo paradigma. Marx observou que não existe mudança histórica se o que está velho não se encontra numa situação de cair sozinho e se o novo não estiver maduro para substituí-lo por conta própria. Temos, certamente, pelo menos a primeira das duas condições preenchida. A crise econômica mundial mostrou que o velho sistema ancorado no individualismo exacerbado caiu sozinho; e o novo tempo, o tempo ou a Idade da Cooperação, está no curso de substituí-lo, embora isso provavelmente não ocorrerá de forma imediata, porém num ritmo dialético complexo, como se examinará com mais detalhe adiante. Raras são as gerações que podem reconhecer um processo de transformação histórica fundamental enquanto ele ocorre. Em geral, os contemporâneos, prisioneiros dos preconceitos e das redes de relações do passado, tornam-se incapazes de ver o novo e se limitam a projetar para a frente tendências ultrapassadas, até que ficam de frente com uma realidade diferente. Entretanto, com o avanço dos meios de comunicação e a interconexão quase instantânea dos povos e de seus dirigentes, as ações e reações em todos os campos das relações humanas adquirem uma dinâmica nunca anteriormente vista, pelo que os processos de mudança ganham aceleração tão grande, que é impossível ignorar o novo na medida em que ele se vai destacando claramente da velha ordem.

O liberalismo econômico, no seu rótulo antigo ou no seu rótulo neoliberal, não era apenas um princípio ordenador da esfera econômica. Nos termos de Hayek, era uma filosofia política que penetrou fundo na política e na moral, além da economia. Suas raízes mais profundas estão no darwinismo social de Spencer, justificador das desigualdades de renda e de riqueza entre os homens (recompensa do mais forte) e indiferente a qualquer princípio garantidor de igualdade de oportunidades na sociedade. É esse tipo de liberalismo (não a liberdade de

UNIVERSO NEOLIBERAL EM DESENCANTO

iniciativa, ou a propriedade privada dos meios de produção, ou o próprio capitalismo) que colapsou. Dados os eventos recentes no mundo, já ninguém ousa falar em Estado mínimo e mercado autorregulado, embora alguns epígonos neoliberais ousem apelar para a destruição do Estado de bem-estar social em nome da eficiência econômica. Fala-se, sim, em cooperação entre os países, em evitar os apelos protecionistas, em proteger as economias mais fracas, algo que, mesmo se limitado inicialmente ao campo da retórica, funciona como um farol ideológico para o futuro.

O colapso do neoliberalismo leva junto sua projeção política e moral. É toda uma ideologia que sucumbe. Décadas atrás, seria necessário muito tempo para que algo equivalente fosse percebido. Agora, entre a eclosão da crise global em setembro de 2008 e a reunião do G-20 no início de abril de 2009, em Londres, transcorreram apenas sete meses para que o premiê britânico George Brown declarasse que o Consenso de Washington, síntese dos enunciados neoliberais, estivesse morto. A declaração, em si, não é surpreendente, pois outros a estavam fazendo. Surpreendente é quem a fez. Brown, a chanceler Angela Merkel, da Alemanha, e o presidente Sarkozy, da França, todos próceres do encontro de líderes, foram levados ao poder cavalgando inequívocas plataformas políticas neoliberais. Sua mudança circunstancial de posição é o testemunho mais eloquente de que não são os líderes que estão mudando o mundo, mas o mundo é que está mudando os líderes. E é o que tenho chamado de imperativo de uma nova era, a Idade da Cooperação.

O FIM E O NOVO COMEÇO

Isso leva imediatamente ao cerne da livre especulação filosófica sobre os novos tempos: como será o mundo do futuro, um mundo governado pelo princípio da cooperação? As seguidas reuniões do G-20 abriram algumas frestas importantes em plena crise planetária para iluminar os novos tempos na esfera econômica. Contudo, o impacto inicial formidável da crise acabou sendo atenuado por sinais de lenta recuperação da economia mundial dentro do paradigma anterior. No início, era possível vislumbrar como única saída um mundo de capitalismo regulado, prevalecendo sobre a fracassada autorregulação dos mercados; ou um mundo do controle dos paraísos fiscais e dos movimentos livres de capitais especulativos; ou um mundo de disciplinamento comum dos sistemas financeiros nacionais para evitar a repetição das crises sistêmicas; ou um mundo de apoio e sustentação do desenvolvimento dos países mais pobres. Tudo isso de algum modo está acontecendo, porém de forma fragmentada, com maior ênfase na retórica do que nos fatos, à margem de um eixo reordenador que caracterize efetivamente um novo paradigma.

Os céticos dirão com alguma razão que são apenas palavras, escritas nos comunicados finais dos encontros, mas o fato é que não se pode esperar mais do que palavras em reuniões de cúpula desse tipo. A tradução de palavras em compromissos, e de compromissos em ações concretas, pode não ser imediata, mas sua inevitabilidade não provém de vontades individuais, e sim de um imperativo histórico. É que o capitalismo vive sua maior crise em sete décadas e já não existe um país hegemônico que, por ato imperial, possa ordenar a recuperação do mundo econômico. Os três grandes blocos, Estados Unidos, União Europeia e Ásia, além dos emergentes, dependem uns dos outros e nenhum deles pode confiar num desenvolvimento estável próprio sem um estatuto de cooperação recíproca nos campos financeiro, comercial e tecnológico.

Na esfera geopolítica, a eleição de Obama e seus gestos de abertura para os árabes sinalizam o reinício de um processo de paz no Oriente Médio que isole radicais de ambos os lados no sentido da solução dos dois Estados para dois povos. Isso terá efeito nas relações entre Estados Unidos e Irã, mediante gestões diplomáticas que provavelmente envolverão a Rússia, depois da prudente desistência norte-americana de construir na Polônia e na República Tcheca o escudo de radares que tanto a preocupava. O Iraque está deixando de ser uma nação ocupada. Tudo isso tende a acontecer sem o uso de força e sem sua ameaça. Restará o problema do Afeganistão, de tremenda complexidade: os Talibãs eram e são uma salvaguarda para o falecido Osama Bin Laden e o remanescente de seu grupo, além de ameaçar a estabilidade do Paquistão, que é uma potência nuclear, e o consentimento na impunidade da Al Qaeda colocaria em xeque a autoridade de qualquer presidente norte-americano, tendo em vista o trauma do 11 de Setembro. Esse é o ponto em que a geopolítica norte-americana encontra-se numa encruzilhada. Num pronunciamento significativo logo depois de sua posse, a secretária de Estado, Hillary Clinton, declarou que a melhor forma de combater o terrorismo era erradicar as suas causas, a pobreza e a falta de oportunidades de desenvolvimento humano. Se isso é a sinalização de um novo paradigma, tal qual temos antevisto, resta o fato concreto de que o terrorismo já constituído existe, é uma ameaça objetiva e ganhou dimensões independentes de suas causas. Diante disso, só uma ação diplomática coordenada no plano internacional seria capaz de distinguir onde continua necessária uma ação punitiva por meio de força de uma ação preventiva por meio da promoção do desenvolvimento econômico e social.

Na esfera ambiental, já não são apenas sinais, mas ações concretas começam a ser tomadas em nível governamental para enfrentar o risco das mudanças climáticas. Nos Estados Unidos, o país que, na era Bush, foi decisivo para bloquear qualquer avanço mundial significativo no combate às causas das mudanças climáticas, a EPA, agência de controle ambiental, anunciou a mudança nos seus critérios de regulação para controlar e reduzir emissões de CO_2 como responsável pelo efeito estufa. Além disso, o governo Obama está decidido a assumir uma liderança efetiva no terreno ambiental, o que levou a China e a Índia a uma posição convergente. Portanto, também aqui temos em processo um dos aspectos centrais do mundo de cooperação, não obstante os obstáculos políticos objetivos que a crise mundial, sobretudo nos países ricos, colocam a uma ação mais rápida no campo ambiental. Na esfera científica, e em especial no campo das ciências da saúde e da biologia, torna-se cada vez mais evidente o imperativo da cooperação, desdobrado em dois aspectos distintos: o da economia e o da moral. O aspecto econômico diz respeito à investigação médica e ao patenteamento de descobertas científicas. O aspecto moral está relacionado com os limites a serem impostos ou não à investigação da genética humana.

Num mundo de avanços científicos compartilhados, a exploração econômica ilimitada de patentes de remédios adquiridas num determinado estágio da investigação constitui uma retribuição econômica desproporcional ao esforço realizado. Na realidade, toda exploração econômica de descobertas médicas que represente retribuição além do esforço econômico feito na própria descoberta fere o sentido de ética que deve prevalecer nessa esfera. Por outro lado, como a investigação tem custo e deve ser estimulada, um nível justo de retribuição tem de ser encontrado.

A fórmula mais simples é a estatização total das pesquisas médicas e a liberação das patentes correspondentes às descobertas feitas. Isso, contudo, afastaria o setor privado da investigação. A alternativa seria manter o setor privado, indenizá-lo por preço justo das descobertas feitas e liberar as patentes. Atualmente, nos países industrializados, grande parte das pesquisas é feita diretamente ou financiada pelo setor público. Bastaria, pois, estender o sistema ao setor privado. Entretanto, a produção de medicamentos com patentes livres pelos laboratórios privados teria, como contrapartida, seu preço regulado.

A pesquisa genética humana levanta um problema moral: até onde e para quais propósitos se deve aceitar a manipulação de genes? O tema ganhou popularidade com a clonagem de animais e já está nos cinemas e na televisão, levado pela livre imaginação sobre clones humanos. Contudo, não é apenas isso que está em jogo. Embora muita especulação em curso não passe de fantasia — tendo em vista o estágio atual da genética, numa perspectiva de dez, vinte e trinta anos ou mais —, a ciência terá condições de desenvolver experiências com genes humanos tanto no sentido da eugenia quanto das aberrações. Isso seria inevitável?

No início dos anos 1930, um jovem físico húngaro, Leo Szilard, fugitivo da ditadura em seu país, percebeu as implicações militares da fissão do átomo e tentou convencer seus pares europeus a fazerem uma moratória de informações sobre os avanços na área para evitar aplicações bélicas. Alguns anos depois, foi ele um dos principais redatores da carta assinada por Einstein que convenceu o presidente Roosevelt a autorizar o projeto da bomba atômica. Isso ilustra como é difícil parar o desenvolvimento da ciência quando se trata de limites morais; e como é fácil acelerá-lo em termos de livre competição por descobertas na busca pelo poder político ou econômico.

Uma eventual regulação internacional da pesquisa genética só seria possível com um alto grau de cooperação dos países e uma colaboração efetiva do corpo científico internacional. Sem isso, haveria vazamentos. A cooperação formal não só estabeleceria regras para as atividades dos laboratórios públicos e privados, sem prejudicar a investigação nos campos livres, como desestimularia os pesquisadores recalcitrantes, que não teriam onde publicar suas pesquisas. É um campo controverso. Mas certamente não é o único campo polêmico cuja regulação competirá à Idade da Cooperação.

UNIVERSO NEOLIBERAL EM DESENCANTO

Transição caótica

A crise mundial em curso surgiu de uma descolagem entre o sistema financeiro especulativo e a economia real. Isso sempre existiu em crises de menor ou maior monta no capitalismo, mas o diferencial da atual crise é sua escala e sua especificidade. Em meados de 2008, quando a crise eclodiu, o montante de ativos financeiros em circulação no mundo, segundo o Banco de Compensações Internacionais, elevava-se a 170 trilhões de dólares, contra menos de 60 trilhões de dólares do Produto Mundial Bruto do ano anterior. A cifra relativa ao valor nocional dos derivativos, base para as apostas na economia fictícia, elevava-se ao nível astronômico de quase 700 trilhões de dólares.

É claro que essa bolha financeira cedo ou tarde explodiria. O problema é que, com as economias interconectadas pela globalização, a simples quebra de grandes instituições financeiras pode implicar o colapso global do capitalismo. Isso foi entendido muito rapidamente quando o governo Bush deixou quebrar o Lehman Brothers, em setembro de 2008, mesmo que esse fosse apenas o quarto maior banco de investimento do país, bem abaixo dos gigantes comerciais. Não obstante, o estrago do Lehman foi tão grande, que o governo teve de estender um socorro trilionário a todos os vinte maiores bancos comerciais dos Estados Unidos, a começar pelo Bank of America e o Citigroup — os maiores bancos comerciais do país e do mundo, sendo ambos parcialmente estatizados por algum tempo. A Inglaterra estatizou seus dois maiores bancos comerciais, o Scotland e o Barclays, e a Alemanha teve de socorrer o Commenzbank, o segundo maior banco comercial do país.

Diferentemente da Grande Depressão dos anos 1930, quando quebraram milhares de pequenos e médios bancos norte-americanos, porém nenhum grande, dessa vez todos os grandes teriam quebrado por força de suas relações sistêmicas caso o governo não os socorresse. Também quebraram virtualmente a maior seguradora (AIG), as duas maiores empresas de crédito imobiliário (Fred e Fannie) e as duas maiores empresas manufatureiras do país, a GM e a Chrysler, todas colocadas sob as asas do governo. Em suma, nada ficou mais distante do que o princípio liberal da autorregulação dos mercados e do Estado mínimo do que a solução, assim mesmo apenas temporária, para a crise.

Uma solução definitiva implica, em tese, uma reconciliação entre a esfera financeira da economia e a esfera real. Em síntese, isso implica perdas trilionárias. E o sistema bancário tem de voltar a emprestar ao sistema produtivo, e não à especulação. E é justamente a isso que o sistema bancário norte-americano resiste, não por uma conspiração contra o país, mas por um contingenciamento operacional: carregando mais de três trilhões de dólares em títulos e empréstimos podres, os bancos não têm outra alternativa para fazer dinheiro rápido e evitar perdas de capitais a não ser aplicando a curto prazo no mercado monetário (4 trilhões de dólares ao dia), no mercado de debêntures e títulos de corporações, e na arbitragem com títulos públicos, já que a renda dos títulos que compram do governo é maior do que os juros dos empréstimos que tomam dos bancos centrais. Só residualmente fazem empréstimos produtivos a pequenas e médias empresas, pois isso imobiliza suas disponibilidades financeiras pelo tempo do empréstimo. E, como as pequenas e médias empresas representam 65% do emprego gerado nos Estados Unidos, a falta de crédito as impede de empregar e a taxa de desemprego continua acima de 9,5%!

Esse comportamento dos bancos determina uma mudança qualitativa do sistema em relação ao que acontecia nas recessões anteriores e na própria Grande Depressão dos anos 1930. Tradicionalmente, bancos comerciais convertem depósitos e aplicações de curto prazo em empréstimos de médio e longo prazo. Com isso, criam a moeda indispensável ao desenvolvimento econômico. Na Grande Depressão, como o núcleo duro do sistema bancário não foi atingido pela crise, sua forma de operar continuou a mesma. Mas esse paradigma também desabou agora. Animados pela ciranda financeira dos anos 1980 para cá, os bancos se acostumaram a captar a curto prazo e a emprestar também a curto prazo, quase exclusivamente para operações especulativas, anulando qualquer virtualidade produtiva do sistema bancário. Com esse novo paradigma operacional, não há contribuição real do sistema bancário comercial para o desenvolvimento econômico e a expansão do PIB.

E essa é, talvez, a principal característica distintiva entre os desalentados programas de recuperação em curso nos Estados Unidos, na União Europeia e no Japão e os vigorosos programas de China, Índia e parcialmente Brasil: esses últimos têm sistemas bancários públicos ou em grande parte públicos, enquanto, nos primeiros, é a banca privada que domina absolutamente o sistema bancário comercial. Na China e na Índia, por exemplo, ainda em novembro de 2008, os governos definiram amplos programas de estímulo e determinaram aos bancos ampliarem as operações bilionárias de crédito; no Brasil, o banco de desenvolvimento (BNDES) recebeu do Tesouro 100 bilhões de reais, suplementados posteriormente com mais 80 bilhões, para sustentar o investimento privado. Enquanto essas decisões de governo eram transformadas em investimentos reais nesses países emergentes, nos países industrializados avançados a banca privada, salva do desastre por dinheiro público, voltava ao curso normal das especulações de curto prazo, sem risco e sem contribuição ao crescimento.

É preciso notar que não estamos diante de uma conspiração malvada de banqueiros. O comportamento especulativo deles surge da própria natureza da crise em que estão mergulhados: carregando trilhões de dólares em títulos podres, têm de se preparar para dar baixa deles no momento do vencimento. Se efetivamente não forem pagos pelos devedores, nesse momento terão de abater o respectivo valor do seu lucro ou do capital. Como os montantes podres são exagerados, isso pode representar a quebra ou risco de estatização. Em consequência, a busca de resultados de curto prazo em operações sem risco torna-se um imperativo. A isso se soma, obviamente, a busca avarenta de resultados para aumentar os bônus da direção. Em qualquer hipótese, estamos diante de uma contradição na operação do sistema, dentro dos antigos conceitos e terminologia muito familiares ao velho Marx.

Do ponto de vista da economia política, o socorro aos bancos e aplicadores é um mecanismo perverso de acomodação das rendas especulativas do período do *boom*. Se na voragem especulativa houve ganhos bilionários sem correspondência com o sistema produtivo real, na fase de desinflação seria de esperar que houvesse perdas correspondentes. Entretanto, os governos dos países industrializados introduziram uma espécie de cunha no sistema para impedir as perdas dos especuladores. O processo consistiu em realizar imensos déficits públicos financiados por títulos governamentais e pelo consequente aumento das dívidas públicas, com os quais, em última instância, foi enxugada a borbulha da especulação. O que era uma especulação privada desenfreada, supostamente com risco, passou a ser uma aplicação segura em títulos públicos.

Se fosse possível conferir atributos humanos ao mercado, nada mais revelador da falta de caráter dos mercados do que a demanda insistente dos conservadores para que os países, em especial os países da Europa do sul, façam superávits em seus orçamentos para reduzir os déficits e as dívidas públicas. Todos os países europeus, exceto Grécia, sob a batuta do neoliberalismo, vinham reduzindo sistematicamente seus déficits e dívidas públicas antes da crise. Eles só os aumentaram para salvar os bancos e, consequentemente, os mercados. Agora, a exigência neoliberal é que os governos cortem gastos públicos de interesse geral para sancionar a renda financeira e o estoque dos ativos privados, estatizados em função da crise criada justamente pelos neoliberais. Isso é uma contradição entre a economia e a política. Não há como resolver essa contradição dentro dos paradigmas econômicos prevalecentes.

A História não segue um curso linear, mas dialético. E a dialética histórica está sujeita, ela própria, ao curso das contradições ideológicas e reais no processo de construção do novo. Não é porque, logicamente, o mundo caminha para uma ordem cooperativa que a cooperação se imporá sem resistências. Forças contrárias existem e tentarão por todos os meios manter a velha ordem. No plano mundial, o campo principal de conflito é o G-20, cujos componentes respondem por 90% da economia planetária; em termos nacionais, o embate decisivo se travará nos Estados Unidos, ainda individualmente a maior e mais poderosa nação do mundo, e na Europa, que coletivamente tem uma economia e uma população ainda maiores.

Mais do que uma crise financeira, uma crise econômica de grandes proporções mantém estagnadas as economias dos países industrializados avançados. A essência dessa crise é uma arquitetura financeira fracassada, que se embebedou de especulação até tornar-se disfuncional. O sistema bancário, que em outro tempo funcionava como o pulmão do capitalismo, e que tradicionalmente transformava depósitos e poupanças de curto prazo em empréstimos produtivos de longo prazo, voltou-se, como já mencionado, para operações especulativas de curto prazo a fim de contrabalançar trilhões de dólares em empréstimos podres que mantém em suas carteiras, herdados da fase ultraespeculativa, e dos quais deverá dar baixa ao ritmo de seu vencimento. Nos Estados Unidos, isso significa limitar o crédito para pequenas e médias empresas, geradoras da maior parte do emprego no país. Em consequência, a taxa de desemprego não baixa, e a economia baila entre subida e desaceleração, como num eletrocardiograma.

A alternativa canônica para romper a estagnação seria um novo programa de estímulo fiscal ainda mais poderoso do que o de quase 800 bilhões de dólares adotado pelo Governo Obama no início de sua gestão. É que esse programa, se impediu a economia de continuar caindo, não conseguiu relançá-la de forma sustentada. Teve um erro de concepção: deu excessiva ênfase (45%) à devolução de impostos e menos ênfase a gastos diretos do setor público. Numa situação em que as famílias estavam muito endividadas, o alívio fiscal serviu para pagar dívidas, e não para gastar em compras; além disso, as famílias mais afluentes, também beneficiadas pelo estímulo fiscal, provavelmente decidiram poupar e acumular, e não gastar.

Isso enfraqueceu o efeito multiplicador do estímulo fiscal, também afetado pela incapacidade do Estado norte-americano de deslanchar a curto e mesmo médio prazo um programa de gastos públicos de infraestrutura, como programado. O governo se apercebeu disso e em 2010 propôs ao Congresso um novo programa, esse exclusivamente direcionado para programas de infraestrutura, no montante de 50 bilhões de dólares. Com a perda da maioria na Câmara, porém, Obama terá imensas dificuldades de levar adiante qualquer novo programa de estímulo fiscal, na medida em que os republicanos se opõem firmemente a novos gastos e, na verdade, prometem batalhar

O FIM E O NOVO COMEÇO

por alguma forma de consolidação fiscal que elimine toda possibilidade de políticas keynesianas anticíclicas.

O Fed, banco central norte-americano, em novembro de 2010 se alinhou com a política de estímulos do governo mediante a decisão de adquirir no mercado secundário 600 bilhões de dólares em títulos públicos de longa maturação para ampliar a quantidade de dinheiro em circulação e favorecer o investimento a custo baixo. Os conservadores ficaram indignados com a decisão, por razões ideológicas equivocadas. Na realidade, a decisão correta teria sido a de adquirir do Tesouro títulos novos, a fim de que o dinheiro correspondente, em mãos do governo, pudesse financiar novos programas do setor público com efeito multiplicador sobre a economia. É que o mercado privado norte-americano não precisa de mais dinheiro. Ao contrário. No segundo trimestre de 2010, as grandes corporações do país tinham em caixa, sem investir, 1,7 trilhão de dólares. O que lhes falta, portanto, não é dinheiro. É mercado. A IBM lançou bônus de três anos rendendo 1% ao ano, a Microsoft pagou 7/8 de 1% ao ano por bônus similares e a Wallmart captou a fração de 1%. Na verdade, esses títulos, dada a inflação residual, renderão juros negativos. Isso é a maior evidência de que não falta dinheiro para investir. Mais uma vez, o que falta é mercado. E mercado, numa situação de recessão prolongada, só se estimula a partir de gastos públicos ou de exportações.

O drama norte-americano é que os conservadores lhes travam a alternativa de estímulo fiscal, e a situação objetiva do resto do mundo industrializado, notadamente União

Europeia e Japão, encontra-se também em recessão e não pode absorver um aumento considerável de exportações dos Estados Unidos. Há, naturalmente, a Ásia, e sobretudo a China, além de emergentes de menor monta como o Brasil. Contudo, a força importadora combinada dos países emergentes não é suficiente, mesmo que continuem crescendo, para suportar as necessidades de aumento das exportações dos Estados Unidos e dos demais países industrializados.

Tudo isso se refletiu, de forma caótica, na reunião do G-20 em Seul. Os líderes mundiais se revelaram confusos e atordoados. Há uma vontade de cooperação, mas os conflitos reais mal resolvidos no plano objetivo impedem acordos efetivos. Em termos práticos, seria necessário estabelecer um diagnóstico preliminar em relação à natureza da crise, que a rigor não existe. A China e a Índia, entre outros países em desenvolvimento, trataram a crise, inicialmente, e de forma correta, como um problema de demanda efetiva; os Estados Unidos seguiram a mesma linha no plano ideológico, porém com menos eficácia no plano prático. De qualquer modo, China e Índia contornaram a recessão e se mantiveram em alto crescimento, e os Estados Unidos conseguiram reverter inicialmente a recessão. Nas reuniões iniciais do G-20, logo após a eclosão da crise, todos os participantes concordaram com a necessidade de implementação conjunta de programas de estímulo fiscal. Isso mudou a partir do encontro de Toronto, no início de 2010, quando, contrariando a proposta norte-americana, surgiu uma forte corrente a favor da retirada dos estímulos e de ajustes fiscais para cortar as dívidas e os déficits públicos produzidos, sintomaticamente, pelos próprios programas de socorro financeiro aos bancos promotores da farra especulativa mundial.

Alemanha e França, e posteriormente a Inglaterra, impuseram a si e ao resto da Europa um programa de ajuste fiscal draconiano, com base no diagnóstico de que a crise é fundamentalmente de natureza fiscal por causa dos altos déficits orçamentários dos demais países europeus, sobretudo do sul da Europa. Em lugar de ampliar o gasto público, o objetivo, na zona do euro, é reduzi-lo para trazer progressivamente o déficit e a dívida pública para os parâmetros do Pacto de Estabilidade e Crescimento, que instituiu a moeda única (3% e 60%, respectivamente). Um pacto separado entre Alemanha e França estabeleceu critérios para sanções automáticas às outras nações do euro que fugissem a essas regras.

Em Seul, as contradições afloraram. A sugestão norte-americana de se estabelecerem limites quantitativos para déficit e superávit em conta corrente (4% do PIB) foi rejeitada, a meu ver corretamente, ainda na fase da discussão entre os ministros de Fazenda. A pressão para revalorização do yuan ficou limitada a insinuações indiretas, para não irritar os chineses. Esses, por sua vez, adotaram uma forte linha de crítica aos Estados Unidos por conta da decisão do Fed relativamente à compra dos 600 bilhões de dólares em títulos públicos, vendo nisso, como vários outros países, inclusive o Brasil, uma tentativa de desvalorização competitiva do dólar. Falou-se muito em balancear os déficits e os superávits em conta-corrente entre os países, mas não se formulou uma única indicação concreta de como fazê-lo. Aliás, é realmente impossível fazer isso por qualquer medida artificial, como a sugerida pelos norte-americanos. Uma medida de segura eficácia poderia ter sido sugerida, mas ficou nos bastidores: o controle dos fluxos de capitais especulativos entre os países!

Estamos diante de uma situação concreta que corresponde ao que Marx, em seu tempo, e no plano teórico, viu como contradição do capitalismo. Em termos de Teoria do Caos, e aplicada ao tempo histórico que vivemos, trata-se de transição entre dois estados, o estado da Idade Moderna, que está colapsando, e o estado da Idade da Cooperação, que está emergindo. Essas fases transitórias, em todos os aspectos da natureza, são caóticas: o velho está caindo de pobre mas o novo ainda não está suficientemente maduro para assumir seu lugar. Convém especular, portanto, como o processo dialético gestará progressivamente o amadurecimento do novo.

A chave fundamental para a dinâmica histórica são os processos políticos e o traço quase universal da política, em tempos contemporâneos, é a democracia de cidadania ampliada. São os cidadãos, em última instância, que avalizam o rumo político das nações e de suas políticas econômicas. Contudo, num meio caótico ou de transição de paradigmas, a percepção do rumo correto das decisões políticas pode ficar por longo tempo embaçada pelo véu ideológico. Acontece que também a política é um processo de tentativa e erro: na medida em que as escolhas dos governantes não correspondam às aspirações das massas, cedo ou tarde esses líderes serão afastados do poder. O recurso que pode acelerar esse processo, na situação caótica em que vivemos, passa necessariamente pela crítica da economia política. Mas nem isso é suficiente. É preciso que um líder carismático apreenda e leve às massas a mensagem social e política renovadora.

O primeiro passo, em termos de economia política, é distinguir o essencial do acessório. A imprensa vulgar tomou como um aspecto fundamental da atual crise o fato de que a China, vinculando rigidamente o yuan ao dólar, mantém sua moeda desvalorizada e assim detém vantagens competitivas no espaço global — o que determina o grande desequilíbrio comercial entre ela e os Estados Unidos. Há pelo menos quatro contradições nesse argumento: a primeira é que, de 2005 até 2007, a China permitiu a valorização do yuan em cerca de 20%, o que em nada alterou sua competitividade internacional e seu crescente superávit com os Estados Unidos; a segunda é que, se o yuan passou a ficar rigidamente atrelado ao dólar, a partir de 2007 é a queda do dólar que determina vantagens competitivas para ambas as moedas, e não a queda do yuan que favorece exclusivamente a China; terceira, o déficit norte-americano não é apenas em relação à China, mas em relação a outros 90 países, o que indica que o problema de competitividade norte-americana é fundamentalmente interno, pela extroversão (na direção da própria China) de sua indústria manufatureira dotada de alta tecnologia e competitividade; e quarta, a mais óbvia de todas, a de que a competitividade chinesa não vem da vinculação do yuan ao dólar, mas dos baixos salários da mão de obra chinesa e do baixo custo relativo da tecnologia que usa, seja a desenvolvida internamente, com amplos subsídios públicos, seja a adquirida por imposição política às corporações internacionais, sobretudo norte-americanas.

A tentativa de impor uma valorização rápida da moeda chinesa é, pois, uma falsa solução para problemas muito mais profundos. Na realidade, os chineses não podem aceitá-la, pois sabem que uma desvalorização acelerada desequilibrará sua economia, com repercussão no equilíbrio de sua sociedade de 1 bilhão 300 milhões de pessoas. Mesmo que aceitassem, o desequilíbrio comercial com os Estados Unidos não seria resolvido, em razão dos outros fatores anteriormente mencionados. O resultado seria a introdução de um elemento adicional de caos num mundo já caótico. A razão básica disso é que o diagnóstico vulgar de que os desequilíbrios comerciais se devem a desnivelamentos monetários é grotescamente equivocado. Os desnivelamentos monetários são consequência de uma contradição mais profunda, que diz respeito aos desequilíbrios entre demanda interna e demanda externa induzidas pela política macroeconômica como um todo, e não apenas pela política cambial.

É uma inconsequência aritmética que todos os países tentem simultaneamente fazer superávits em conta corrente com o resto do mundo: superávits e déficits são partes de um jogo de soma zero e, na medida em que uns países fazem superávits, outros necessariamente fazem déficits. Nos primórdios do capitalismo, o mercantilismo funcionou como ideal econômico de algumas potências: buscava-se fazer superávit a todo o custo, transformado em ouro e outros metais preciosos, e o resultado disso, em muitos casos, foram grandes desequilíbrios e guerras. Após a Segunda Guerra, no auge do capitalismo produtivo, Japão e Alemanha se desenvolveram seguindo políticas estritamente mercantilistas, um modelo que se estendeu depois a outros países asiáticos e sobretudo à China.

Em si mesmo, o superávit comercial com o resto do mundo é uma estratégia econômica que promove o emprego interno e a máxima utilização de capacidade produtiva. É o melhor dos mundos para empresas e também para grande parte dos trabalhadores. Em termos físicos, o saldo de exportação reduz a oferta no mercado interno, mas isso não significa necessariamente limitação proporcional de oferta ou inflação, porque o produto exportado pode corresponder a uma produção acima da quantidade necessária para suprir a procura doméstica. Pode ser também a situação em que a qualidade dos bens exportados não é própria para consumo de massa, como no caso da produção de máquinas, equipamentos e produtos químicos de alta sofisticação alemães. Em termos financeiros, a receita da exportação é salário ou lucro. Nesse último caso, pode-se tomar poupança ou novo investimento, interno ou no exterior. É possível que isso promova concentração de renda, mas, de qualquer modo, produzirá acumulação de reservas, aumento de poupança e crescimento do emprego e do produto.

Em contrapartida, o déficit comercial destrói empregos internos mais do que os gera e, pelo lado financeiro, reduz as reservas internacionais do país e aumenta seu endividamento externo. Só se justifica quando corresponde a importações de bens, equipamentos, tecnologia e insumos produtivos que aumentam a produtividade interna e, portanto, a capacidade ulterior de pagamento dos juros e do principal do correspondente financiamento. Em termos ideais, a situação externa de um país, considerando não só o comércio mas também os fluxos financeiros, deveria ser, na média, equilibrada, com exportações de bens e serviços equivalendo a importações.

O problema com o superávit comercial é que outros também quererão fazê-lo. Mesmo porque, em termos financeiros, é o único meio seguro de acumular reservas monetárias internacionais sem o risco das entradas de capitais especulativos. Como, para a saúde da economia mundial, o ideal seria uma situação de equilíbrio relativo entre as contas-correntes dos países, o mecanismo óbvio para se restaurar o equilíbrio, já imaginado por Keynes, seria que os países superavitários sofressem alguma forma de punição por seus superávits permanentes e os países deficitários recebessem estímulos para melhorar suas contas. O Fundo Monetário Internacional seria a instância reguladora desse processo, facilitando reservas temporárias para os países inicialmente em déficit e mobilizando as reservas dos superavitários.

O esquema de Keynes, com a criação de uma moeda contábil internacional para balancear os saldos do comércio mundial (*bancor*), não foi aceito pelos Estados Unidos, por conta de sua posição confortável de emissor da moeda hegemônica, o dólar, numa época em que era largamente superavitário pelo lado externo. Com isso, não existe nenhum indutor artificial para balancear financeiramente o comércio. Daí a compulsão, no curto prazo, para guerras cambiais competitivas, que dão uma vantagem inicial ilusória, mas que acabam sendo autodestrutivas. Elas próprias são o epifenômeno de uma realidade básica mais elementar: como já mencionado, o desequilíbrio permanente no comércio mundial reflete o desequilíbrio nas demandas internas dos países superavitários e deficitários.

Um país superavitário na realidade está consumindo menos do que produz; um deficitário, ao contrário, consome mais do que produz. Só existe uma forma de promover o equilíbrio entre os dois: por meio de uma política econômica de estímulo fiscal, aumentando a demanda interna em ambos — em um, num ritmo relativamente maior do que no outro. Observe que se poderia ficar tentado a dizer, pelo gosto da simetria, que no caso do país superavitário no comércio externo, se deveria promover uma política de estímulo fiscal para aumentar a demanda efetiva interna; e, no caso do deficitário, uma política fiscal restritiva para reduzir o consumo doméstico. Nada seria mais contraproducente numa situação de crise global: levaria à contração adicional da economia no país deficitário, quando o mais necessário, no caso, é a promoção do investimento pelo estímulo à demanda efetiva e ao investimento produtivo em todos os países que participam do jogo do comércio mundial, mesmo que em ritmos relativamente diferentes e independentemente da situação inicial de seus orçamentos.

Na reunião de novembro de 2010 em Seul, o presidente Barack Obama tentou colocar na agenda um comprometimento do G-20 com uma política de crescimento global, o que passa necessariamente por recorrer e dar continuidade a políticas de estímulo fiscal à demanda. Essa proposta, contudo, ou não foi entendida ou passou despercebida pela imprensa. Na realidade, por trás da cortina de fumaça da guerra cambial, algo muito explorado pela mídia talvez porque contenha o conceito emocional de guerra, ficou em segundo plano a natureza mesma do conflito fundamental em matéria de política econômica entre os Estados Unidos e a própria China, de um lado, e a Alemanha, França, Inglaterra e o resto da Europa, de outro.

O fato é que o presidente norte-americano encontra-se, ele próprio, enredado numa armadilha política e efetivamente impossibilitado de dar um curso progressista a sua política econômica. As eleições parciais de novembro de 2010 nos Estados Unidos colocaram o país na trilha do conservadorismo radicalizado, em linha com a Europa conservadora, empenhada essa em cortar gastos públicos e suprimir os direitos básicos do Estado de bem-estar social. Um painel bipartidário para examinar a questão das contas públicas nomeado pela Casa Branca propôs cortes de 200 bilhões de dólares nos orçamentos dos próximos anos, incluindo as áreas de saúde, previdência e defesa, até aqui consideradas sagradas. Em contrapartida, sugeriu aumento de impostos, inclusive e principalmente dos ricos. A proposta é totalmente inviável, social, econômica e politicamente, mas o simples fato de ter sido feita por um comitê oficial da Casa Branca indica que terá de ser considerada, e o fato de ser considerada indica o grau de confusão nas diretivas básicas (des)estruturantes da política econômica norte-americana, solapando uma influência que deveria ser fundamental para o resto do mundo.

O mesmo ocorre no plano de outras relações mundiais que têm sido propostas. Na crise de meados dos anos 1980, os Estados Unidos impuseram ao Japão, através dos acordos Plaza, a revalorização do yen, com o objetivo de reduzir o forte superávit japonês com os norte-americanos. Foi inútil. O superávit japonês continuou forte e continua forte ainda hoje, a despeito da valorização da moeda nipônica e da longa recessão japonesa. É que, nos anos seguintes a Plaza, o Japão mergulhou numa recessão prolongada de que ainda não saiu. Recentemente, tem tentado forçar a desvalorização do yen. O lado significativo disso é que a valorização do yuan chinês, proposta pelos Estados Unidos, mesmo se fosse aceita pela China, provavelmente não seria eficaz para balancear as duas economias. É que a competitividade chinesa, como já mencionado, se baseia em muitos outros elementos além da desvalorização monetária.

Por outro lado, a mais insana estratégia de recuperação que vem sendo seguida no mundo, principalmente após a reunião de Toronto do G-20, no início de 2010, é a que Alemanha e França adotaram, impondo-a ao resto da Europa do euro e seguida pela Inglaterra: são os ajustes fiscais intensos, destinados a reduzir, a curto prazo, a relação déficit e dívida pública/PIB. Conforme já discutido em outro capítulo, deve-se entender, antes de mais nada, que a relevância dessa relação para avaliações políticas econômicas é totalmente arbitrária. Ela se afirmou a partir do momento em que os próprios governos e bancos centrais dos países industrializados avançados atribuíram a agências privadas de avaliação de risco poderes para analisar direta ou indiretamente riscos soberanos.

É notável que o desequilíbrio orçamentário ocorrido nos países do sul da Europa e em outros países desenvolvidos ocidentais decorreu dos programas trilionários de socorro aos bancos no auge da crise como forma de evitar o colapso mundial do capitalismo. Em síntese, foi uma avalanche jamais vista de dinheiro público para salvar a economia privada. Agora, depois de superada a primeira fase do colapso, as forças conservadoras exigem que a conta seja paga pela parte mais vulnerável das sociedades, através da redução de gastos públicos de investimento e de custeio, em tese direcionados para o benefício geral da população, e da reversão do Estado de bem-estar social.

Entretanto, não é o caráter antissocial das políticas de ajuste fiscal que estão sendo impostas na Europa que está em jogo. É sua ineficácia econômica. Conforme também já mencionado, quando um país entra em crise cambial ou fiscal, e o resto do mundo vai bem, um programa de ajuste, típico do receituário do FMI, pode funcionar economicamente, mesmo que perverso socialmente. É que o ajuste, que em resumo se caracteriza pelo corte de gastos, salários e pensões públicos, destina-se à geração de excedentes exportáveis: só funciona se há consumidores no mundo dispostos a importar. Agora a situação é diversa. Todos os países do mundo querem restringir importações e aumentar as exportações. Diante disso, a única solução possível são programas simultâneos de estímulo à demanda agregada, em todos os países onde o consumo interno esteja baixo, para favorecer simultaneamente exportações e importações. A propósito, deve-se reconhecer, à margem de toda a estridência crítica em relação ao valor do yuan, que a China está fazendo um responsável programa de elevação de sua demanda interna, incluindo um aumento de importações superior ao das exportações!

A Europa, liderada pela Alemanha, está tomando o caminho oposto. A própria Alemanha tem estado numa posição confortável porque sua economia tem crescido mais do que a média da Europa, embora ainda não tenha se recuperado da queda de 4,2% em 2009. Seu segredo foi a retomada vigorosa das exportações: com alta produtividade, ela está se beneficiando de programas de estímulo da demanda nos Estados Unidos, na China, na Rússia e na Índia, seus importadores, enquanto impôs a si mesma, no início de 2010 — contra a posição norte-americana na reunião do G-20 em Toronto, já mencionada —, um programa de corte de impostos de 80 bilhões de euros. É claro que essa situação não pode perdurar. Todo o resto da Europa está em crise e ali se concentram, tradicionalmente, 40% do mercado de exportações alemãs. Não surpreende que, em setembro de 2010, a produção industrial mensal alemã tenha caído e a economia dado sinais de desaceleração. A Inglaterra fez um programa de cortes ainda mais draconiano do que o da Alemanha, e a conservadora Merkel uniu-se num pacto com o também conservador Sarkozy, da França, para impor ao resto da Europa sanções automáticas caso não cumpram os compromissos de ajustes fiscais.

Na transição para uma nova ordem mundial, algum nível de convergência terá de ser buscado para pautar as relações nela determinantes entre o país mais poderoso e o país mais dinâmico: como numa troca de genes para produzir o novo, elementos do liberalismo ocidental serão absorvidos pela China e por sua órbita de influência, enquanto elementos de planejamento centralizado e estatização limitada certamente terão de ser absorvidos pelos Estados Unidos, para o próprio bem-estar de seu povo, irradiando-se em algum momento para a Europa. Um sinalizador sugestivo é a intenção dos governos norte-americano e inglês, bem como da Comissão Europeia, de criar uma espécie de banco de desenvolvimento público em suas áreas. É claro que nada disso se imporá sem conflitos internos, muitos deles radicalizados. A presença, neste momento, de um Tea Party nos Estados Unidos indica a força social ainda considerável das correntes conservadoras no país. Entretanto, condições ainda iniciais dos ajustes econômicos não podem dar ideia completa do incêndio social que se prepara na Europa, que certamente impulsionará futuras mudanças progressistas.

Tudo isso indica um estado caótico no mundo, em plena transição de paradigmas, no qual a ordem norte-americana, baseada numa economia de 14 trilhões de dólares e num poder militar global quase ilimitado, revela-se esgotada, enquanto a nova ordem representada pela China, uma economia de 4,5 trilhões de dólares, embora dinamicamente muito mais ativa, está longe de poder impor-se mundialmente a curto prazo. Num padrão dialético histórico, anterior à era nuclear, essas duas potências estariam condenadas a um conflito militar para decidir, em última instância, qual seria o poder hegemônico no mundo. Na era nuclear, isso terá de ser decidido por outros caminhos. Em última instância, pela cooperação — talvez resultando numa síntese de dois sistemas sociais aparentemente antagônicos, convergindo para a busca de algum nível de eficácia nos planos econômico, social e político. É claro que, do contrário, toda essa discussão mantida até aqui seria irrelevante!

Uma ordem cooperativa, como em toda dialética, preservará elementos da ordem anterior. Assim, embora a competição entre nações deva ceder lugar a alguma forma estável de cooperação, a relação entre empresas de todos os portes preservará, em algum nível, características competitivas. No plano empresarial, a competição é essencial para a inovação e o crescimento. A tendência, porém, é que seja uma competição regulada, como já se observa em relação aos condicionantes ambientais da produção industrial.

É fato que a competição pura ou perfeita jamais existiu, exceto nos modelos econômicos neoclássicos. Isso não impediu o formidável sucesso produtivo do capitalismo e seu transbordamento para elevados graus de bem-estar social em várias sociedades. Portanto, a negação pura e simples da competição econômica no processo de construção de uma nova ordem econômica e social levaria à estagnação. Por outro lado, uma competição selvagem entre empresas, sobretudo as grandes corporações, pode levar à destruição de capital produtivo social e de empregos. Para evitá-la, o modelo já testado com algum êxito é o das agências reguladoras nas áreas de serviços.

No setor privado, existem mecanismos próprios de regulação da competição que resultam em maior eficiência. Por exemplo, na contratação de construtoras para a instalação de grandes instalações industriais pelo menor preço e a máxima qualidade. É no setor público que surgem problemas: a contratação de grandes obras está sujeita a requisitos de licitação e controle que geram ou um alto custo financeiro e burocrático de fiscalização ou uma perda qualitativa no projeto, ou ambas as coisas, e ainda o risco da corrupção. No Brasil, era recorrente a prática entre grandes construtoras de ganharem concorrências com um preço básico para depois forçarem o governo a atualizá-los com ágio, sob a chantagem de não se entregar a obra. Entretanto, em vários países existem mecanismos eficazes de realização de grandes obras públicas por preços estáveis e sem risco de prazos ou de preços. É o caso do seguro de performance, no qual uma seguradora privada se coloca entre o Estado e o construtor para exigir o cumprimento do contrato (preços e prazos, principalmente), com o poder legal de trocar de construtora em caso de descumprimento.

No caso das grandes corporações mundiais, o elemento competitivo básico continuará sendo a inovação. Essas empresas são grandes demais para quebrar, tendo em vista a perda de recursos sociais e de empregos que isso representaria. Portanto, não interessaria a ninguém uma competição destrutiva entre elas. Isso não entra em contradição com uma ordem planetária de cooperação, uma vez que a regulação do ambiente competitivo dessas corporações pelos diferentes órgãos de controle — por exemplo, das sociedades anônimas abertas — já se dá e continuará se dando por meio de um processo legislativo caracterizado, por definição, pela cooperação imposta aos elementos da sociedade e da economia pela democracia de cidadania ampliada.

Na transição da idade de liberdade ilimitada para a Idade da Cooperação, um aspecto importante diz respeito ao exercício da liberdade de imprensa. Talvez nenhuma das liberdades humanas tenha sido objeto de proteção maior na primeira grande democracia do planeta, os Estados Unidos, do que a liberdade de imprensa, com repercussões significativas no resto do mundo. Por outro lado, é ela a primeira vítima das ditaduras e dos sistemas autoritários. Seria, porém, a imprensa, um campo de liberdade ilimitada que deverá ser preservado na nova ordem? Não, e por uma razão simples: a imprensa já não é, do ponto de vista legal, totalmente livre em nenhuma democracia do mundo.

Nas democracias, todo cidadão é protegido nos códigos penais contra a calúnia, a injúria e a difamação. Automaticamente, está protegido contra notícias falsas na mídia com esses propósitos. O que às vezes não funciona, em alguns países, é o sistema judiciário, por temor de aplicar sentenças punitivas contra órgãos da mídia que infringem esses tópicos do código civil. Nos Estados Unidos, berço da mais ilimitada liberdade de imprensa, são comuns decisões jurídicas a favor de vítimas caluniadas pela mídia. Em geral, porém, essas vítimas estão em pé de igualdade, do ponto de vista da capacidade financeira, com os órgãos de imprensa processados. Lá, como aqui, para o caso de vítimas sem capacidade financeira, os crimes cometidos através da imprensa ficam impunes, caso não haja juiz de suficiente coragem para se contrapor à mídia. Contudo, qualquer tentativa de atacar essa insuficiência pela via legal seria contraproducente, contrariando o princípio básico da liberdade de imprensa. É o avanço civilizatório, no plano ético, que eliminará essas insuficiências.

Nenhum pensador, armado apenas do conhecimento das regularidades do passado, será capaz hoje de desvendar o tempo e a configuração do futuro. A característica do caos entre os paradigmas da velha e da nova ordem é que colapsam, nele, todas as regularidades, todas as séries históricas e grande parte dos valores antigos que, tradicionalmente, informavam o novo. Temos sinais do futuro, embora não o seu tempo. Sabemos, por exemplo, que nenhum país e nenhuma grande corporação podem ignorar indefinidamente os condicionantes ambientais; sabemos que, provavelmente, não haverá uma guerra para redefinir hegemonias no mundo, porque seria uma guerra nuclear autodestruidora; sabemos que a economia mundial, quando vier a ser normalizada, o será pela ação cooperativa das principais nações, provavelmente aquelas reunidas no G-20. Entretanto, não sabemos quando isso ocorrerá. Se levará um, cinco, dez ou vinte anos!

No interregno caótico, haverá sofrimento e desesperança, mas também as promessas de um mundo ordenado pela cooperação. Esse é o Atrator Estranho da nova ordem, a força reguladora que surge do caos. Nos fenômenos da natureza, o caos se reorganiza espontaneamente num novo paradigma, ao fim de um processo de tempo indefinido, numa ordem ou paradigma de nível superior. Nós, humanos, somos conscientes das nossas fraquezas, dos nossos limites e das nossas potencialidades. Podemos contribuir para que do caos econômico, político e social em que estamos vivendo, nos estertores da Idade Moderna, surja, o mais rapidamente possível, a Idade da Cooperação.

JCA

*O texto deste livro foi composto em Sabon,
desenho tipográfico de Jan Tschichold de
1964, baseado nos estudos de Claude
Garamond e Jacques Sabon no século XVI,
em corpo 11/15. Para títulos e destaques,
foi utilizada a tipografia Frutiger,
desenhada por Adrian Frutiger, em 1975.*

*A impressão se deu sobre papel off-white
80g/m² pelo Sistema Cameron da
Divisão Gráfica da Distribuidora Record.*